DONNE INFORMATE SUI FATTI

A cura di: Lisbeth Thybo
Illustrazioni: Karen Borch

EDIZIONE SEMPLIFICATA AD USO SCOLASTICO E AUTODIDATTICO

Le strutture ed i vocaboli usati in questa edizione sono tra i più comuni della lingua ita-liana e sono stati scelti in base ad una comparazione tra le seguenti opere: Bartolini, Tagliavini, Zampolli – Lessico di frequenza della lingua italiana coutemporanea. Consiglio D'Europa – Livello soglia, Brambilla e Crotti – Buongiorno! (Klett), Das VHS Zertifikat, Cremona e altri – Buongiorno Italia! (BBC), Katerinov e Boriosi Katerinov – Lingua e vita d'Italia (Ed. Scol. Bruno Mondadori).

Redatore: Ulla Malmmose

Design della copertina: Mette Plesner

- a subsidiary of Lindhardt og Ringhof Undervisning,
an Egmont Company
ISBN Denmark 978-87-23-90598-7
www.easyreader.dk

Stampato in Danimarca da
Sangill Grafisk Produktion, Holme Olstrup

Profilo biografico

Carlo Fruttero
Nato a Torino nel 1925, è romanziere, saggista, giornalista, traduttore e vincitore di moltissimi premi letterari.

Carlo Fruttero e Franco Lucentini (1920-2002), la più celebre coppia di scrittori del mondo letterario italiano del secondo Novecento, hanno scritto insieme il celebre *Notizie dagli scavi* (1964), i rari versi de *L'idraulico non verrà* (1971); fra i titoli più noti, *La donna della domenica* (1972), *L'Italia sotto il tallone di* (1974), *A che punto è la notte* (1979), *Il palio delle contrade morte* (1983), *La prevalenza del cretino* (1985), *L'amante senza fissa dimora* (1986), *La manutenzione del sorriso* (1988), *Enigma in luogo di mare* (1991), *Il ritorno del cretino* (1992), *Il cretino in sintesi* (2002).

Da solo Carlo Fruttero ha pubblicato *Visibilità zero* (1999), e da ultimo il fortunatissimo *Donne informate sui fatti* (2006), che segna il suo ritorno alla scrittura di thriller. Finalista del Premio Campiello 2007

La *bidella*

Sì, sono stata io a trovare il corpo della donna nel *fosso* e a chiamare i carabinieri. Che fai, te ne torni a casa bella tranquilla, ti fai un caffè e non ci pensi più, non ho visto niente, non sono affari tuoi, la *puttana* la troverà qualcun altro? 5

In quanto bidella mi hanno gentilmente chiesto di tenere gli occhi sempre bene aperti. Cesare, mio marito, dice che da certe cose è meglio stare comunque alla larga, che quello è tutto un mondo pericoloso, *droga*, *schiave* del sesso, *clandestini* di 10 tutte le razze: a metterci il dito non sai mai come va a finire. Cesare è un *fifone*. Tutti gli uomini sono così, niente complicazioni. E' per questo che vanno con le puttane: un momento di dolce *intimità* in macchina, paghi il dovuto e te ne vai. Quella era a 15 colpo sicuro una puttana. Morta? Morta a colpo sicuro. Bastava guardarla: minigonna, calze a rete nere, un top nero, un *sandalone* alto mezzo metro e l'altro finito chissà dove. Insomma, in divisa. Niente sangue, per fortuna. Era sdraiata su un fian- 20 co, la faccia non si distingueva bene tra i capelli e l'erba del fosso. Lunga, sul magro ma un magro

bidella, donna che custodisce una scuola
fosso, parte più in basso lungo una strada
puttana, donna che vende il suo corpo
droga, sostanza che provoca alterazioni psichiche
schiavo, persona senza libertà
clandestino, chi vive senza un permesso di soggiorno, senza il permesso scritto di stare in un paese straniero
fifone, chi ha fifa, paura
intimità, qui: rapporto sessuale
sandalone, scarpa aperta ed alta

giusto. Giovane, ma con queste qui non si capisce mai se hanno diciassette anni o trentacinque.

Era domenica mattina, fine maggio, cielo quasi sereno. Ho guardato l'ora: le 10.42. Ero arrivata lì 5 in motorino. Si vedevano altre tre persone che già stavano facendo nel prato quello che ero venuta a fare io, cioè raccogliere una verdurina da mangiare in insalata con le uova.

Da come gli avevo spiegato la località, i carabi- 10 nieri hanno *capito al volo* e dopo dieci minuti scarsi sono arrivati. Facevo dei gran gesti con le braccia alzate, qui, santodio, qui!

Uno che era sceso dall'auto mi ha notata. Hanno lasciato l'auto e sono venuti verso di me a pie- 15 di, camminando in fila sull'erba. Guardavano per terra, per controllare e non rovinare le *tracce* di *pneumatici*, se c'erano. C'erano le mie, di tracce, e quelle lasciate dalla ragazza del *coniglio*, anche lei venuta in motorino. Uno solo è sceso nel fosso e ha 20 toccato la gola della donna. Morta era morta. Allora hanno chiamato i loro colleghi a Torino.

Ho raccontato che mentre ero già in mezzo al prato e iniziavo a raccogliere ho visto arrivare in

capire al volo, capire subito
traccia, segno
pneumatico, ruota

motorino la ragazza del bar, che è scesa e ha iniziato a tagliare l'erba del fosso per il suo coniglio. Qualche metro e poi si è fermata, si è rialzata, ha dato ancora un'occhiata nel fosso e poi è tornata al motorino, salta su e va via velocissima. *5*

Poco dopo sono arrivate altre macchine e un'ambulanza. Sono stati lì un bel po', c'erano anche due donne, e alla fine, mentre portavano via il cadavere, mi hanno chiesto se gentilmente potevo seguirli in *caserma*. E lì poi mi hanno tenuta fino alle tre *10* passate del pomeriggio a ripetere sempre la stessa storia, caso mai mi venisse in mente qualche altro particolare.

La *barista*

Bisogna capirla quella bidella, la signora Covino. Poteva starsene zitta, farsi gli affari suoi, ma non *15* perde l'occasione di fare la spia, soprattutto contro di me per il semplice fatto che suo marito viene *sovente* al bar e scherza volentieri.

E tu, povero Nerino, te ne sei rimasto delle ore senza la tua padrona. Lo so che un po' di erba fre- *20* sca una volta all'anno ti fa impazzire e non può farti male, coniglietto mio. E per questo sono andata in quel prato, ho visto il corpo e sono corsa via senza dir niente a nessuno.

I carabinieri mi mettevano le foto sotto il naso, *25* una bella ragazza, poveretta.

caserma, qui: ufficio dei carabinieri
barista, chi lavora in un bar
sovente, spesso

tazzina

Non frequentava il suo bar? Nossignore, mai venuta. E che ci faceva lei sul prato? Prendevo un po' d'erba per il mio coniglietto, il mio Nerino. E perché è scappata via? Ma scusa, un cadavere, una morta magari ammazzata per vendetta da chissà chi? Ho avuto paura, che male c'è, ho preso e sono scappata. E non l'avevo mai vista prima? Eh no che non l'avevo mai vista.

Quelli lì in caserma, con tutti i loro computer. Ce n'era uno in divisa col *cartellino* di riconoscimento che mi ballava davanti agli occhi (Pocopane Attilio, un bel tipo biondo) e una donna in borghese, col suo cartellino anche lei (Margherita qualcosa). Facevano i comprensivi, i pazienti: sa, noi dobbiamo cercare tutte le possibili *connessioni, indaghiamo* a 360 gradi. Sulla sedia davanti a loro, non sai quante cose sanno già, se hanno già iniziato a connettere con questo e con quello, il lavoro, le amicizie, con chi esci, i fidanzati presenti e passati. E ieri sera dove eravamo? A che ora? La spiona dell'Istituto Delessert poteva avermi visto qualche volta con Christian e poteva andarglielo a raccontare. Poi alla fine non mi hanno chiesto più niente, mio dolce Nerino, e così ho tirato un bel respiro e gli ho chiesto io a loro chi era la morta. Non lo sapevano, la donna non aveva documenti. E di cosa era morta? Non lo sapevano ancora.

cartellino, scritta
connessione, insieme di fatti uniti fra loro
indagare, esaminare
brivido, sensazione fredda sulla pelle

La carabiniera

La bidella ha un marito, un pensionato che fa dei lavoretti qua e là e va in giro in bicicletta. Ma lei *ce l'ha col* suo Cesare, è chiaro come il sole. Basterebbe *convocar*lo un momento qui da noi in caserma, vedere che tipo è, chi frequenta, farsi un'idea della personalità, un quadro generale. E quanto a miss Coniglio (è così che la chiama la bidella), è single, abita in un monolocale con un ampio terrazzo in via Terzi, sono andata io a prenderla. Tutto pulito e in ordine, a parte quel coniglio nero che gira per casa.

Come mai è single? E' una bella ragazza, possibile che non abbia almeno un fidanzato? O diversi fidanzati? Fa la barista e quello è un mestiere dove tutti dal primo all'ultimo ci provano, con la barista, se c'è. Anche lì, già che l'avevamo in caserma, potevano farle qualche domandina in più. Ma nemmeno ho potuto cominciare, il capo ha deciso che quella non era una *priorità*, la priorità adesso era l'*identificazione* della vittima, e potevo anche dargli momentaneamente ragione. Comunque l'identificazione è venuta presto e senza dover fare il giro dei soliti ambienti con la foto in mano e già nel primo pomeriggio, benché di domenica, avevamo gli *estremi*: Milena Martabazu, anni ventidue, arrivata

avercela con, essere arrabbiati con
convocare, chiamare
priorità, la cosa più importante
identificazione, il sapere chi è una persona
estremo, elemento d'identificazione

clandestina in Italia dalla Romania quattro anni fa.
E poi il solito *curriculum*.

La figlia

«Sì, sì, la figlia, sono la figlia...Sono fuori Torino, in campagna, non sento bene...Ma cosa è successo a mio...no, non è qui, è in Sardegna...ma lei da dove chiama? Chiama da Torino, ah, ma mio padre... cosa gli è successo...niente, a lui niente, ah, ma gli avete parlato, sta bene...non risponde, be', ha il *cellulare* spento...è in Sardegna...senta, la richiamo io da un telefono fisso...ora corro di là e la chiamo...». Casimiro mi teneva d'occhio, è arrivato.

«Sei *stravolta*, cos'è capitato?»

«I carabinieri.»

«Ti hanno chiamato i carabinieri? Da Is Molas?»

«No, da Torino.»

«Papà?»

«No, sta bene. Non è per lui che hanno chiamato.»

«Be', allora per cosa? Mica i bambini...?»

Sono *divorziata*. Ho due bambini di sette e cinque anni che questo week-end toccano al padre.

«No, no, i bambini non c'entrano. Non so, non ho capito cosa mi diceva quel capitano, era molto disturbato, ora li richiamo io e mi faccio spiegare.»

«Aspetta che ti porto un bicchier d'acqua.»

curriculum, insieme delle esperienze di vita e di lavoro di una persona
cellulare, piccolo telefono portatile
stravolto, agitato
divorziato, chi ha sciolto il matrimonio con un atto legale (divorzio)

Casimiro è tornato, un bel bicchierone pronto. Ma dietro di lui veniva Beatrice, un'intera bottiglia di minerale in pugno. Pratica, come sempre; e sempre un po' esagerata, come quando assisteva la povera mamma. La migliore amica della mamma fino alla fine; e poi di papà, e anche mia.

La migliore amica

Per me il più bel mese dell'anno è maggio. Per i fiori, certo.

Siamo entrati con Camilla e Casimiro da una porticina e poi di lì fino al telefono fisso, nel salottino, e Camilla ha chiamato il capitano.

Milena. Morta ammazzata in un fosso vicino a Mirafiori. Per il riconoscimento le chiedevano di andare a Torino, potevano mandare una macchina a prenderla.

Camilla è scoppiata in *singhiozzi*, papà, papà, povero papà. E poi subito, io lo sapevo, io l'avevo detto, io me l'aspettavo che un giorno o l'altro...Ho detto al capitano che Camilla l'avrei accompagnata a Torino io. Dove? Be', qui in caserma, e poi l'accompagniamo noi all'*obitorio*. Camilla era stravolta, io lo sapevo, io me l'aspettavo, adesso come glielo diciamo a papà?

Vediamo di ragionare. La cosa peggiore è che gli tocchi passare questa notte tutto solo in albergo. Ma gli stessi carabinieri potranno fare qualcosa,

singhiozzo, respiro breve e affannoso di chi piange
obitorio, luogo con persone morte che devono essere identificate

no? dicevo io, in un caso simile? Papà non è che sia esattamente l'ultimo arrivato.

La carabiniera

Altre due donne nell'*indagine*: la figlia, col suo papà, papà, povero papà, e l'altra, più vecchia (una parente? un'amica?). Aveva lei la situazione in pugno, si vedeva subito. Tutte e due molto chic. Un week-end in campagna, ecco dov'erano state, da dove venivano. Notte al *castello*, hai capito? Di un amico che più tardi sarebbe venuto giù anche lui, per assistenza morale e materiale sia al povero papà, sia alla figlia del povero papà. Una parola sulla povera morta, sulla povera Milena, io non gliel'ho sentita dire per tutto il tempo che siamo rimaste nell'ufficio del capo.

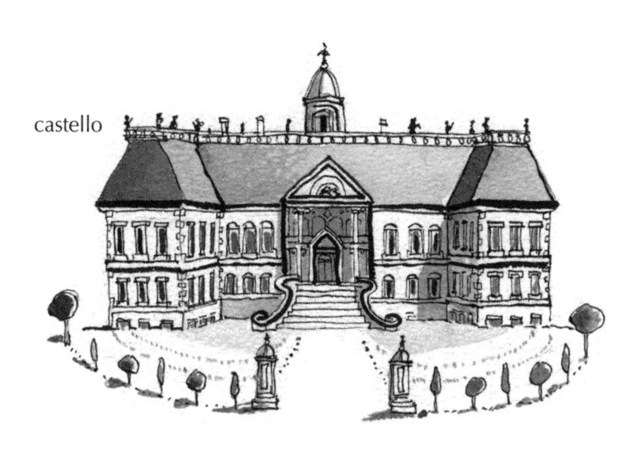

indagine, esame, inchiesta

A noi serviva andare di corsa a vedere il punto di partenza. Si poteva fare un primo controllo e *piantonare* magari la villa. Ci stava la figlia del *proprietario*, nel suo stesso interesse, a farci strada, aprire la porta e lasciare che uno dei nostri desse una primissima occhiata senza toccare niente? Altroché se ci stava, per carità, ecco qua le chiavi.

Hanno chiamato Gilardo ("uno dei nostri uomini migliori") per il passaggio delle chiavi.

Poi ha telefonato il *castellano*, era tutto sistemato, il povero papà avrebbe preso un aereo privato, arrivo stasera alle 22.20. Ma ci hai parlato? Chiedeva la figlia, che cosa gli hai detto, gli hai detto che Milena...Due anni fa ho seguito un corso dell'*Arma* su come dare queste belle notizie ai parenti, ma alla fine una vera regola non esiste. Voce sempre controllata, chiara. Sguardo comprensivo. Mano pronta al tocco umano sul braccio, sulla spalla. E poi via: signora, suo figlio ha ucciso la sua fidanzata con diciotto *coltellate* e si è buttato dal decimo piano.

Quindi ho accompagnato io quelle due all'obitorio, su una macchina nostra, mentre Gilardo e gli altri si precipitavano a casa del *banchiere* e della morta, a cercare *mozziconi* di sigarette, bigliettini, *impronte*, bicchieri pieni di Dna. Senza però toccare niente.

piantonare, mettere la polizia a guardia di una casa o di qualcuno
proprietario, padrone
castellano, chi abita in un castello
Arma, qui: l'esercito dei carabinieri
coltellata, colpo di coltello
banchiere, chi amministra una banca
mozzicone, piccolo pezzo, p. es. di una sigaretta
impronta, segno lasciato da un dito o da qualcosa (scarpa, piede, ecc.)

La *giornalista*

Devi *giurare* e *stragiurare* che non dirai niente, che aspetterai zitta e buona.

Io ho saputo già in prima serata che la morta è *rumena,* nome Milena Martabazu, anni ventidue, entrata clandestina in Italia quattro anni fa e poi a *battere sui marciapiedi* con *arresti, espulsioni* eccetera; e in conclusione salvata da don Traversa, il prete di Novara che ha un Centro di protezione e *riabilitazione* a Vercelli, dove sto andando oltre i limiti di velocità.

Strangolata in un fosso tra Beinasco e Rivalta vicino a Torino.

Ma c'è un particolare senza senso: era vestita secondo la moda *puttanesca*. Come ci sia arrivata in quel prato non si sa, ma è chiaro che ce l'hanno portata probabilmente già morta. Magari una vendetta dei suoi vecchi padroni: *rapita,* rivestita da puttana, strangolata e buttata nel fosso. Altro che una nuova vita!

Il Centro di riabilitazione di Vercelli ha sede in una palazzina su un viale. E' stato quel prete a spie-

giornalista, chi scrive su un giornale, o lavora per una TV o una radio
giurare, promettere solennemente
stragiurare, promettere molto solennemente
rumeno, chi è nato in Romania
battere sui marciapiedi, fare la prostituta
arresto, il mettere in carcere
espulsione, il mandare fuori da un paese
riabilitazione, qui: il riportare le ragazze alla vita onesta
strangolare, uccidere stringendo le mani intorno al collo
puttanesco, da puttana, prostituta
rapire, portare via con la forza

garmi tutto. Ci sono medici e infermieri volontari che passano a dare una mano, e un secondo prete che viene per le funzioni religiose.

A Vercelli sono arrivata che erano quasi le dieci. Ho trovato la casa, ho suonato, ho detto che mi mandava il *telegiornale*. C'è stata una pausa piuttosto lunga. Alla fine mi hanno aperto.

La *volontaria*

Prima di aprire alla giornalista ho naturalmente richiamato la signora direttrice Pozzi a Milano. Già nel pomeriggio, appena ho saputo della *tragedia* dai carabinieri di Torino l'avevo avvertita. Ad *avvisare* don Traversa, ha detto, ci avrebbe pensato lei, quanto a me dovevo per stasera non dire una parola a nessuno.

Ma se la vedono in tv? ho detto io. Smettila, Lucia, ha detto lei. Sì, può darsi che la notizia esca fuori ma i *media* in mano hanno poco, i carabinieri alla povera Milena ci sono arrivati in fretta, ma i media non hanno foto, non hanno l'identità della vittima, per ora sarà il solito *omicidio* di una prostituta. Quindi silenzio, e non piangere, che tanto non serve a niente.

Una donna decisa, Maria Ludovica, che sa sem-

telegiornale, giornale di notizie della TV
volontario, chi lavora senza essere pagato
tragedia, fatto grave
avvisare, avvertire
media, TV e radio
omicidio, uccisione di una persona

STAMPA

pre che cosa bisogna fare, che non perde mai il controllo. Io ho preso il mio *rosario* dalla tasca e ho pregato un po' per la povera, cara Milena, e mi sono calmata. E poi ecco che suona il campanello e si presenta questa giornalista.

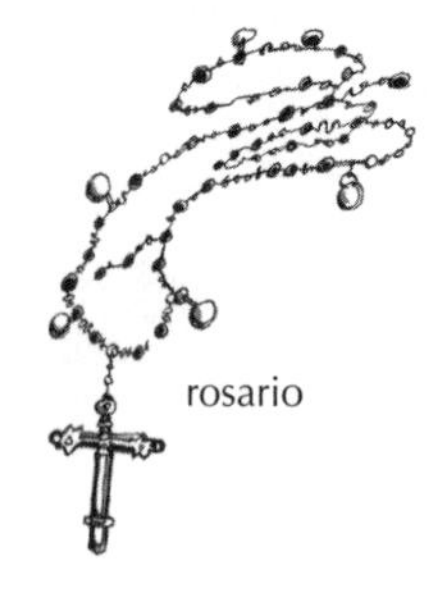
rosario

Lo sapevo, l'avevo detto, vengono sempre a scoprire tutto, s'infilano dappertutto. Allora ho richiamato Maria Ludovica. Non perdere la testa, Lucia, ha detto lei. A questo punto è meglio riceverla la giornalista, ma tu devi dire solo che la povera Milena è passata da noi, che era una bravissima ragazza, e niente altro, hai capito?

Ma avevo la gola chiusa, non ci potevo credere all'idea della povera Milena in quel fosso vicino alla Fiat. Cosa c'era andata a fare? Rapita, sicuramente. *Trascinata* lì a forza da quella gente maledetta. Per *vendicarsi*, per far vedere a don Traversa, alla direttrice e a tutte quante che non si può scappare, che loro arrivano dove vogliono e ti rimettono sul *marciapiede*. E sennò, la morte.

Verranno i carabinieri, le tv, ma sta' tranquilla che non ti lasciamo sola a ballare e intanto, se proprio vedi che non ce la fai chiama Semeraro, fallo venire lì, chiamalo subito. Semeraro è uno deciso, non si fa spaventare da niente, e qua l'importante è dire

trascinare, tirare via qualcuno contro la sua volontà
vendicarsi, fare vendetta
marciapiede, parte della strada per chi cammina a piedi, qui: fare la prostituta

solo lo stretto necessario, far capire a questa giornalista che noi non abbiamo niente da nascondere.

Ho chiamato Semeraro e ho fatto entrare la giornalista. La giornalista lo sapeva già, lo stretto necessario. Nome, cognome, età, poi il nostro indirizzo, 5
che non è proprio segreto, ma insomma riservato, per motivi di sicurezza. Lei conosceva don Traversa di persona, un uomo eccezionale. L'aveva vista, lei? No, non aveva visto niente, sapeva solo del fosso e dello strangolamento. Parliamo un po' della 10
povera Milena.

Era una ragazza meravigliosa. Le volevamo bene, l'avevamo aiutata a tirarsi fuori, ma il merito era solo suo, era lei che voleva salvarsi. Era molto bella e anche molto intelligente, aveva imparato l'italiano 15
perfettamente e dal giorno che è entrata qui non ha più detto una brutta parola, e pregava, pregava tanto.

Bella, davvero molto bella, diceva la giornalista, guardando la foto.

E com'è successo che è scappata, quando ve ne 20
siete accorte? ha chiesto la giornalista. Ma come scappata, non è scappata affatto. Lei si sentiva sicura, noi eravamo sicuri, e così alla fine l'abbiamo sistemata in una brava famiglia di Novara come *badante*, ha curato una povera malata che stava per 25
raggiungere il Signore, è durata mesi e mesi, una vita di sacrificio totale.

E dopo, ha chiesto la giornalista, cosa le è successo dopo? E' tornata qui? O s'era *stufata* di fare la santa e s'è rimessa a fare la puttana? 30

badante, chi si prende cura di qualcuno
stufarsi, annoiarsi, stancarsi

Ecco, è stata quella parola a chiudermi la bocca. Non m'è piaciuta. Anzi, non m'è piaciuto il tono di tutta la domanda. Quella giornalista era senza cuore.

La giornalista

Le due ragazze nere hanno fatto un passo, due passi indietro. Giornalista? A quel punto la biondina voleva sapere della notizia, quale brutta notizia? Una vostra amica, una che stava qui con voi ha avuto un incidente, Milena, si chiamava Milena, la conoscevate? Le due nere hanno alzato le mani, non, pas de tout, connais pas, connais pas, e altri mezzi passi indietro. Che incidente, dove? A Torino, in un prato. Allora morta? Morta. Un prato, eh? Ma lei conosceva Milena? E come no, Milena la bellissima, Milena la santa santissima.

In quel momento è arrivato uno sulla cinquantina, basso, *robusto*, con un camiciotto a quadri da cui uscivano due braccia corte e *pelose*. Doveva essere una specie di *guardiano*, perché le due nere sono subito scappate.

Allora s'è girato verso di me con un sorriso largo.

«Permette? Non ci siamo ancora presentati. Mi chiamo Semeraro. E' lei la giornalista? E di che giornale?»

«Una tv privata.»

robusto, non magro
peloso, pieno di peli
guardiano, chi fa da guardia

Eravamo lì in piedi, in quel magro giardinetto e ci guardavamo negli occhi, lui tutto sorridente, io un po' meno. Mi chiedevo se, per soldi, mi avrebbe raccontato qualsiasi cosa.

«L'accompagno alla macchina, avrà la macchina?» 5

Ci siamo *incamminati* lungo il viale, senza fretta.

«Queste povere ragazze. Facciamo quello che possiamo ma certo è dura.»

«E lei cosa ci fa qui dentro?» 10

«Boh, un po' di tutto. Le accompagno, ho degli amici in ospedale in caso di...»

«E tiene lontano i giornalisti.»

« E com'è questa storia della Milena? Cos'è successo?» m'*intervistava* lui. 15

«Lucia mi ha detto che si era sistemata in una brava famiglia a Torino.»

«Prima a Novara, poi a Torino. Come *cuoca* era veramente *favolosa*.»

«Ma non faceva la badante? Così almeno mi ha detto Lucia.» 20

«Lucia, Lucia... quella sa sempre tutto e non sa niente. *Bambinaia,* alla fine era bambinaia della figlia di un banchiere.»

«A Novara?» 25

«Ma no, a Torino, a Torino.»

Io tenevo gli occhi fissi su quelle braccia pelose, schifose.

incamminarsi, cominciare a camminare
intervistare, fare una serie di domande
cuoco, chi cucina
favoloso, fantastico, meraviglioso, da favola
bambinaia, chi lavora con i bambini

«Ma come l'avete tirata via dal marciapiede, la povera Milena? Non aveva dei protettori, dei padroni che magari l'avevano comprata in Romania?»

5 «Certo che li aveva, una donna e due uomini, due *albanesi*. Ce n'è voluto per convincerla a denunciarli.»

«E li hanno presi, sono dentro, in carcere?»

«Dentro, dentro, nessuno è mai dentro in Italia, 10 chi ci capisce più niente con le leggi che abbiamo.»

«Ma allora magari sono tornati, sono loro, l'hanno fatta fuori per vendicarsi.»

«Può darsi, anzi sarà senz'altro così, anche se 15 sono passati quasi tre anni.»

«Perché lei era bambinaia di questo banchiere già da due anni?»

«No, della figlia: il banchiere aveva una figlia divorziata con dei bambini piccoli.»

20 «E dopo? Se n'è andata? L'hanno *licenziata*?»

«Altro che licenziata, la bella bambinaia. E' stato il colpo della sua vita.»

«Che ha fatto?»

«S'è fatta sposare, è diventata la moglie del ban- 25 chiere, è diventata la signora Milena Masserano. A settembre dell'anno scorso.»

albanese, chi è nato in Albania
licenziare, mettere fine a un rapporto di lavoro

La carabiniera

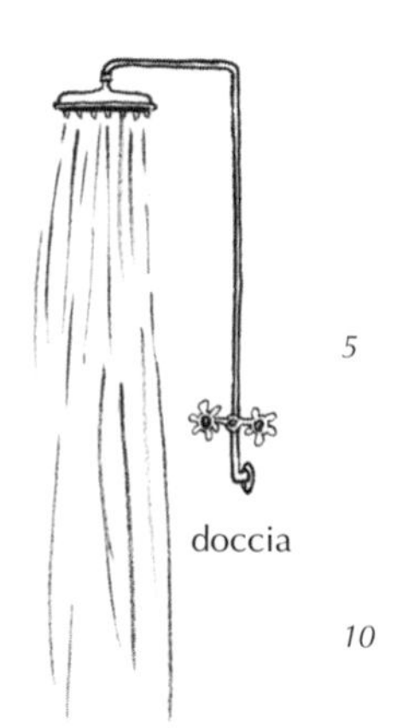
doccia

L'aereo dalla Sardegna arrivava alle 22.20, la figlia e quell'altra erano passate a casa a farsi una *doccia*... Casa alla Crocetta, naturalmente. Villa bianca su tre piani, seconda metà dell'Ottocento, con ampio giardino. A quanto ho capito ci abita la figlia divorziata coi bambini. E il povero papà con Milena. Qui, tra questa bella gente coi documenti in regola e l'aereo privato, hai perlomeno la curiosità di capire perché e come una puttana rumena di ventuno anni è diventata la moglie di un banchiere, vicino ai sessanta. E di vederlo in faccia, questo povero papà.

La villa era naturalmente sotto *sorveglianza*, fuori c'era una nostra auto.

Ingresso come una sala da ballo (e forse ci ballavano davvero, nel 1880), un tappeto grande come il lago piccolo d'Avigliana, uno scalone doppio che saliva al piano di sopra. E sotto due poltrone.

mazzolino

Allora ho notato i *papaveri* sul lato più vicino alla porta. Non molti, in disordine appena più rossi del tappeto. Anche le due signore li hanno notati ma non hanno fatto domande. Ho chiesto io se li tenevano in casa e la Camilla ha negato, no, mai,

sorveglianza, controllo

i papaveri sono belli nei campi ma in vaso durano due ore. E poi sono filate fino all'appartamento di lei, Camilla, dove abita coi bambini da dopo il divorzio.

5 «E questi papaveri?»

«Molto utili, molto importanti» diceva Gilardo.

«Per le impronte?»

«Almeno come lo ricostruisco io.»

Qualcuno suonava al campanello del *cancello*, 10 lei si alzava, forse guardando dalla finestra che dà sul corso ma non vedeva nessuno. Il visitatore si faceva comunque riconoscere, lei dunque lo conosceva, si fidava, scendeva, apriva e quello le offriva il *mazzolino* di papaveri.

15 Chi le aveva portato quei fiori? Un parente, forse. Queste ragazze hanno sempre una quantità di parenti. Era facile immaginarla seduta qui a fumare, annoiarsi...Già non ne poteva più della nuova vita? Già il banchiere l'aveva stufata?

20 «E com'era vestita? Si sa?»

No, ancora non si sapeva. Qualcosa per forza doveva avere addosso perché l'avevano poi spogliata e rivestita da puttana.

«Andiamo a dare un'occhiata.»

25 Stanza da letto vasta, con vasto letto matrimoniale.

«Vedi? Tutto a posto, qui non è venuto nessuno.»

Siamo tornati giù e Gilardo diceva: per me le sono saltati addosso subito, già qui sul tappeto, e lei ha lasciato cadere i papaveri, è caduta probabil- 30 mente anche lei e poi l'hanno tirata su, presa di

cancello, porta di ferro o legno di un giardino
mazzolino, vedi illustrazione, pag. 23

peso, portata fuori, infilata in macchina e via.

«Uno solo non ce la poteva fare, ci doveva essere un *complice* che s'è infilato in casa anche lui, e forse un terzo a guidare l'auto.»

«Come mai non era anche lei in quel castello per il week-end con la figlia e l'amica di casa? Dopo tutto faceva anche lei parte della famiglia, no? Com'è che l'hanno lasciata qui sola sola?»

Ma già mentre lo dicevo avevo la risposta. Non è che non l'avessero invitata, era lei che non c'era voluta andare, la rumena appena scesa dal marciapiede, la puttana. Che ci andava a fare al castello, che c'entrava con quella bella gente? Il marito sicuramente la spingeva, cercava di portarsela di qua e di là a testa alta. Questa è mia moglie, signori! Ma doveva essere dura, durissima per la povera Milena.

E difatti quando le due signore sono ricomparse fresche e profumate, hanno pienamente confermato (a modo loro). No, Milena in campagna non ci poteva venire, soffriva di *allergie*, se ne stava più volentieri chiusa in casa, al buio.

Uscendo, mi sono ancora girata a guardare quei papaveri ridotti a niente. Chi glieli aveva portati alla bella strangolata? Una donna, una ex collega? Una parente di cui si fidava? O un uomo dei bei tempi del marciapiede?

Le ho accompagnate io all'aeroporto, qualcuno doveva farlo. Io avevo già in memoria lo sguardo della Beatrice, all'obitorio. Uno sguardo strano, ma

complice, chi partecipa o aiuta a fare un'azione
allergia, leggera malattia di chi non sopporta certe piante, cibi o animali

va' a capire in che senso. Là dietro le due donne non hanno aperto bocca. Volevo chiedere alle due dove si fossero sposati. Ma non era il momento e del resto stavamo arrivando.

Siamo rimaste lì un dieci minuti a guardare l'aeroporto nel buio, con luci bianche, gialle, rosse. Siamo andati insieme verso il piccolo aereo bianco, che già abbassava la scaletta. Lo *sportello* si è aperto e il papà è apparso, ha cercato con gli occhi in giro, è venuto giù. La figlia è corsa ad abbracciarlo e sono rimasti lì stretti, fermi, per un po'. Lei piangeva. Poi è toccato all'altra. La luce era scarsa e vedevo male la faccia di lui, i capelli quasi bianchi, lunghi, la fronte alta. Un bell'uomo, ancora, che non piangeva e nemmeno doveva aver pianto in aereo. Mi ha stretto la mano con una certa energia.

«Me l'hanno ammazzata» ha detto, come per convincersi, «Dio...Dio...Che idiota...Niente, non ho fatto niente...» *Singhiozzava*. Cosa potevo dire? Li prenderemo? Gliela faremo pagare? Non sarebbe stato nemmeno vero, otto volte su dieci non li prendiamo, spariscono in Albania, in Romania, in Ucraina o addirittura restano tranquillamente qui con documenti falsi, cambiano solo città.

Dopo l'obitorio (ha voluto vederla a tutti i costi un'ultima volta) si sono messi a parlare del funerale. L'amica Beatrice ha detto che ci pensava lei, conosceva qualcuno. E poi la sepoltura. Lui la voleva sepolta qui, era sua moglie, era stata sua moglie, oltre al fatto che al suo paese non gliene

sportello, porta di una macchina, di un treno, di un aereo
singhiozzare, piangere con singhiozzi

importava niente a nessuno, di Milena.
Era lui che non aveva saputo proteggerla, se l'era lasciata ammazzare, non era bastato l'anello al dito. Non era stato capace di salvarla il banchiere.
«E per i giornali, per i media» ha detto lui, «cosa si fa?»
La figlia ha *sospirato*, «e cosa vuoi fare, stavolta non c'è niente da fare».
La Beatrice diceva che per "La Stampa" se ne poteva occupare lei, ma con gli altri e con le tv non si poteva evitare, bisognava aspettarsi il peggio. Ma al portone di casa di Beatrice, mentre mi ringraziavano (la figlia mi ha quasi abbracciata) io avevo in testa una cosa sola: "stavolta". Perché "stavolta"? C'era stata un'altra volta?

La bidella

Diceva il mio Cesare con tutti i giornali aperti sul tavolo di cucina: ma non capisci che lo fanno per te, di non mettere il tuo nome, lo fanno per proteggerti, per tenerti fuori dall'omicidio.
E' chiaro come il sole che dall'omicidio io sono già fuori comunque, non c'entro niente, non ho visto niente, giusto il cadavere nel fosso. Anche se mettevano le mie *generalità* complete, Covino Angela, di anni cinquantasei, professione bidella, ventitré anni di servizio presso l'Istituto G. Deles-

sospirare, fare un respiro lento e profondo come in segno di fastidio
generalità, notizie generali su età, luogo di nascita, nazionalità, residenza

sert, a me non mi faceva né caldo né freddo. E Cesare l'ho spedito a comprare non solo "La Stampa" ma anche i giornali di Milano e Roma. Moglie di banchiere strangolata in un fosso, e io, Covino Angela, che l'avevo *rinvenuta*. Invece niente nomi. Uno dice: "La donna che ha segnalato la presenza del cadavere", un altro: "Secondo una *testimone*, A.C.", un altro si butta via: "Una signora (tante grazie!) informata sui fatti è stata lungamente *interrogata* dai carabinieri". La foto della vittima non so dove l'hanno trovata ma certa è ben diversa dalla faccia che ho visto io in quel posto. Qui è una faccetta normale e te la devi immaginare vestita da puttana, a fare la sua bella figura sul marciapiede a 50 euro al colpo, anche meno. Dice che non lo faceva più, che l'aveva tirata fuori quel prete, don Traversa, che quel banchiere s'era innamorato e alla fine se l'era sposata. Una nuova vita. E allora come mai?

Io a questa storia della nuova vita ci credo poco, perché a queste qui, se permetti, il cosiddetto rapporto gli deve piacere mica male, se lo fanno e rifanno di giorno e notte. E lui, il marito, il marito è il colpevole, nove su dieci. Per un banchiere miliardario ci vuole niente a prendere l'aereo privato, tornare un momento a Torino e ripartire dopo l'omicidio. A parte questo, chi ti dice che non abbia pagato un killer? E' un banchiere, è pieno di soldi, cosa vuoi che siano cento o duecentomila euro per far fuori la moglie? E lui intanto è bello pulito in Sar-

rinvenire, scoprire
testimone, chi ha visto qualcosa, p. es. un delitto
interrogare, sottoporre a domande

degna a giocare al golf. Semplice: lui ha scoperto che lei continuava a fare la puttana e l'ha uccisa.

Ma tu cosa ne sai, chi te l'ha detto, lei si era salvata e oltre a tutto non aveva più nessun bisogno, di *battere*, era ricca anche lei, chissà quanti regali le faceva il marito, villa alla Crocetta, macchina di lusso, la cuoca, perché doveva rimettersi a *fare la vita*? Era diventata un'altra donna, poveretta, era riuscita a tirarsi fuori.

Poveretta poveretta. Chissà perché gli uomini si commuovono tanto sulle puttane?

La giornalista

Visto che ormai ero qui in mezzo alle *rane* ho pensato che tanto valeva passare domattina un momento da questa *rosticceria* di Novara, dove Milena aveva trovato il primo lavoro uscendo dal Centro. Poteva sempre capitare di passaggio qualche vecchio cliente.

fare la vita, fare la prostituta
battere, qui: fare la prostituta ('battere il marciapiede')
rosticceria, negozio dove si preparano e vendono cibi già cucinati

Perciò sono andata a Novara sola soletta.

Semeraro mi ha dato l'indirizzo della rosticceria e consigliato un alberghetto a una sola stella dietro la stazione di Novara, dove ho dormito.

Ho preso su la *telecamera*, sono andata in cerca della pizzeria-rosticceria e l'ho trovata in pieno centro, zona strapiena di uffici. Dentro, era una specie di lungo *corridoio* con il banco, i tavolini di plastica nera contro il muro e a metà due *forni*, uno a legna e uno elettrico, ancora spenti.

Il padrone era un omettino secco secco, Melis, che ancora non sapeva niente di Milena, leggeva il giornale a metà pomeriggio, non ascoltava la radio. Molto di chiesa, mi aveva detto Semeraro, e per questo don Traversa aveva affidato a lui la ragazza alla sua prima uscita nel vasto mondo.

Il locale era quel che era, ma ben *piazzato* per via degli uffici e nelle ore giuste doveva essere strapieno di clienti e la cassa strapiena di euro. Milena? Ah, ma cosa mi dice, povera ragazza, che brutta fine, lì da loro era stata otto o nove mesi a badare alla *suocera* malata, molto malata, che aveva bisogno di tutto.

E' entrata la moglie, la Melis, che veniva dalla spesa. Una giornalista, eh? Di Milena lei sapeva già e non ne voleva parlare, non aveva niente da dire, era roba di due anni fa, una brava ragazza, peccato per quella brutta fine.

Ma com'è che era andata via da qui, da questo

corridoio, ingresso lungo e stretto
forno, luogo dove si cuoce il pane, la pizza ed altro
piazzare, avere un posto, collocare

buon posto? Troppo lavoro? No, no, il lavoro non le faceva paura, non si tirava mai indietro, se ne stava lì tutto il giorno con la mamma, le teneva la mano, la puliva, la rigirava...

5 Ma dov'era sistemata, dove abitava?

Qui di sopra, diceva la Melis, nella stanza della mamma, e così se la mamma aveva bisogno la notte, se la sentiva respirare male, o gridare, era sempre pronta.

10 Un buon posto, dicevo io, un posto sicuro, protetto. Ma allora come mai se n'era andata? Era...morta la vecchietta? No, la vecchietta adesso era in un centro specialistico, in campagna.

Poi, dalla porticina interna là in fondo che dava 15 sul cortile è entrato un ragazzo con gli occhi semichiusi, che non ha salutato nessuno. Ho capito che doveva essere il figlio. Ha detto: «E' per Milena?» Il ragazzo è arrivato fino alla porta sulla via, si è girato, mi ha guardato fisso, non ha detto niente, è uscito 20 sbattendo.

Era quella la spiegazione. S'era innamorato di Milena, la bellissima, le stava addosso, o lei stava addosso a lui, la voleva sposare, insomma c'era stata una storia e lei li aveva *mollati* o loro avevano 25 chiamato il prete, l'avevano fatto intervenire, una puttana resta sempre una puttana, un ragazzo come il mio che si mette con una così, ma siamo matti.

Ho cercato un po' di farmi dire, come l'avevano sostituita, la Milena, ma niente.

suocera, la madre del marito o della moglie
mollare, lasciare

La figlia

Con Beatrice ne avremo parlato mille volte: quando te ne sei accorta, quando hai notato, quando c'è stato il primo *sintomo* sospetto.

Beatrice era allora la più vicina alla mamma, un'amica di prima infanzia. Lei era *vedova*, senza figli, mentre io stavo con mio marito (ex marito) e i bambini in quella villa in collina, sotto Superga. 5

Sì, ad accorgersene per prima dev'essere stata Beatrice. Papà non notava niente. Gli uomini sono fatti così. La mamma ne poteva rompere venti di *tazzine* prima che lui se ne accorgesse. 10

forchetta

Così è stata Bea a mettere insieme i piccoli "incidenti" della mamma: una *forchetta* che le cadeva nel piatto, una sigaretta che le cadeva sul tappeto. La mamma allora aveva cinquantadue anni e stava benissimo. Ci sono voluti mesi, perché Beatrice avesse i primi dubbi. Ne ha parlato prima di tutto con me. A papà ho parlato io e poi con lui ne abbiamo parlato alla mamma. Lei *cadeva dalle nuvole*, ma che idea, non capisco, non vedo, io mi sento benone, sono cose che capitano. Ogni tanto la tazzina cadeva ma come fai a distinguere se è caduta così, per caso, o invece perché il cervello 15 20

sintomo, segno
vedova, donna alla quale è morto il marito
tazzina, vedi illustrazione, pag. 8
cadere dalle nuvole, rimanere meravigliato

non ha mandato i segnali giusti? Papà pensava al peggio, un *tumore* al cervello. Alla fine mamma si è rassegnata alle visite mediche. Quando si è visto che non c'era nessun tumore abbiamo festeggiato.

5 Ma poi di là, nel salottino giallo, quando la mamma ha finito di bere il suo caffè senza far cadere niente, ha voluto alzarsi. S'è appoggiata alla poltrona e ha fatto forza. Niente. Ci ha riprovato. Niente. Siamo corsi con Beatrice a tirarla su, è solo

10 lo stress. Ma lei, per la prima volta, era spaventata.

La migliore amica

L'infanzia, la scuola insieme, l'*adolescenza*, il primo bacio. E ci siamo anche sposate a poca distanza di tempo, tutte e due vestite di bianco. Poi io sono andata a Londra con mio marito e lei è rima-

15 sta a Torino col suo Giacomo. Venite a Londra, insistevo io, ti divertirai, anche la bambina. Alla fine comunque ha deciso Giacomo: Lugano, con quel bel lago, la legge svizzera, l'ordine svizzero. La bambina si è presto *adattata*, ma lei no. Sono anda-

20 ta a trovarla diverse volte e si annoiava a morte. Piove sempre, la passeggiata è sempre la stessa, non è una città.

Ci sono rimaste due anni, Giacomo andava a trovarle quasi tutti i sabati col Semeraro, guardia del cor-

25 po e autista della Lancia blu. Poi sono tornate tutte e due a Torino. Semeraro portava la bambina a scuola.

tumore, grave malattia, cancro
adolescenza, età fra l'infanzia e l'età adulta
adattarsi, qui: imparare a vivere in un luogo nuovo, in situazioni nuove

Anch'io sono tornata quando mio marito è morto.
Con Fiorenza andavamo molto d'accordo. Che cosa sia esattamente l'amicizia resta un mistero. I gusti in comune? Lo stesso modo di vedere le cose? Più probabile è che dalle due parti ci sia la stessa certezza assoluta che l'altra non ti giudicherà. Noi eravamo ormai due signore. *5*

Quando non è riuscita a tirarsi su da quella poltrona s'è spaventata ma anch'io ho avuto paura. Non era un tumore, d'accordo, ma la testa c'entrava per forza in qualche modo. Ne ho parlato con Camilla e con Giacomo. Io non potevo lasciare la mia più cara amica in quello stato. *10*

Alla fine è venuta fuori la *diagnosi*.

Un dottorino amico di un'amica di Camilla, che a volte giocava a golf con Giacomo. E' stato lui a invitare a casa il dottorino, e quello ha visitato, ha interrogato, ha riflettuto, ha detto che poteva anche trattarsi di *miastenia*, una parola che non avevamo mai sentito. Miastenia grave. E naturalmente *incurabile*. *15* *20*

La carabiniera

Tutta quella fiducia nel fidanzato, nell'amico, che se la porta in Italia con la promessa di un buon lavoro e poi sparisce dopo averle vendute ai *criminali*, bisogna essere cieche.

diagnosi, il capire la natura di una malattia
miastenia, grave malattia dei muscoli
incurabile, che non si può guarire
criminale, chi compie delitti o gravi violenze

Questo pensavo davanti ai responsabili del Centro di Vercelli, le due donne e il prete, don Traversa, la direttrice Maria Ludovica e una specie di volontaria di nome Lucia, col naso rosso per allergia. Anche qua toccava a me indagare sul passato del vittima. Vacci tu a Vercelli, Rita, che vuoi sempre sapere tutto.

Milena al Centro si era sempre comportata benissimo, non era mai scappata. Perché, alle volte scappavano? Alle volte, sì, diceva il prete sospirando, alle volte hanno delle crisi, si sentono prigioniere. Ma le altre, quelle che si salvano, dicevo io, si vergognano della vita che hanno fatto?

La direttrice ci pensava su, diceva: be', quando arrivano sono contente, la paura è passata, e per un po' sono tranquille, si godono anche le più piccole cose di questa vita in *comunità*. Sono quasi tutte molto religiose, diceva il prete, e pregano molto. Sì, la vergogna c'è, ma nelle migliori, quel che resta per sempre è il *rimorso* di essersi buttate in una cosa tanto stupida, di non aver saputo riconoscere... Per le migliori è quello il vero *trauma*. Il corpo dimentica. Ma l'anima no, l'anima è umiliata nel profondo. Noi lavoriamo su questo, non tanto sul peccato, quanto sull'*orgoglio* ferito, spiegava il prete.

E Milena ce l'aveva, l'orgoglio? Ce l'aveva sì, ed era anche molto intelligente.

Milena come c'era arrivata, al Centro? Chi l'aveva tolta materialmente dal marciapiede?

comunità, gruppo sociale
rimorso, il dispiacere di avere fatto una cosa sbagliata
trauma, qui: ferita psichica, choc morale
orgoglio, coscienza dei propri meriti

La Lucia, era stata lei, una sera di pioggia, ad avvicinarla su un viale di Milano, a offrirle l'*ombrello,* cominciare a parlarle, e certe volte, certe rare volte, andava bene, le ragazze si aprivano, raccontavano, avevano paura ma intanto però una piccola luce si accendeva... 5

E non c'era un *protettore,* che la controllava? chiedevo io. C'era sì, un albanese, un clandestino *espulso* dall'Italia tre o quattro volte e sempre tornato tranquillamente, un certo Janko, che l'aveva 10 comprata da tre rumeni, che a loro volta l'avevano comprata dall'ex fidanzato. Anche il Janko la picchiava. Continuava a farle grandi promesse. Ma erano parole, quello aveva troppa paura che gliela portassero via, la sua bella Milena, poteva essere 15 uno che s'innamorava, un avvocato, un commerciante, un vedovo...

O un banchiere, dicevo io. Già, ma il banchiere se l'è presa in casa come bambinaia, e non sapeva da dove veniva, credeva che fosse una delle solite 20 *immigrate* rumene. Non sapeva del marciapiede?

protettore, chi amministra i guadagni delle prostitute
espellere, espulso, cacciare fuori
immigrato, chi è andato a vivere in un paese diverso da quello dove è nato

No, non lo sapeva. E non l'ha mai saputo? Be', sì, a un certo punto l'ha saputo.

Ma da chi l'ha saputo, chi gliel'ha detto? L'ha saputo da voi, siete stati voi a informarlo?

5 No, in realtà la cosa era venuta fuori durante il matrimonio, perché a un certo punto quel Janko, si è presentato al castello e...

Li ho immediatamente interrotti, ho chiamato Torino, gli ho detto di mettersi a cercare questo Janko...

La figlia

10 La mamma è ancora vissuta per poco più di un anno. La malattia era diventata terribile anche da vedere. Questa miastenia consiste nel fatto che i muscoli non lavorano più, per qualche misteriosa ragione. Quindi le gambe non ti reggono, le mani 15 lasciano cadere le tazzine. Una specie di sorriso fisso che ti gela il sangue che io non riuscivo a guardare quando passavo a trovare la mamma.

Per fortuna c'era Bea, che ha preso in mano tutto. Assistenza totale: due *infermiere* a *turni* di otto 20 ore e il terzo turno lo faceva lei. Papà era dimagrito e nervosissimo, aveva smesso di andare al golf, in banca si faceva vedere solo la mattina.

C'è ancora stato un tentativo estremo, tre settimane in un ospedale di New York o tra New York e 25 Boston, non ricordo. Nessuna speranza da parte di nessuno, ce lo dicevano apertamente. C'è andata

infermiera: donna che bada ai malati
turno, periodo di lavoro

Bea, con papà e mamma, e come sapevamo in partenza è stato inutile.

Ritorno a Torino. Ormai *deperimento* sempre più evidente, sempre con quel tremendo sorriso. Finché è morta. 5

La carabiniera

Avrei dovuto interrogarli separatamente, i miei tre *reticenti*. La reticenza è una bestia che incontriamo normalmente nel nostro lavoro. L'indagato nega l'evidenza e tu insisti, eri lì, no, non c'ero, e invece c'eri, ti hanno visto, non è vero, non mi ha 10 visto nessuno, e così via finché chiede un bicchiere d'acqua e ammette.

Ma qui a Vercelli, in questo ufficio la reticenza era tutta a vantaggio di quei tre. Non erano indagati, e io, a parte quel cadavere nel fosso, non potevo 15 fargli pesare niente. *Omettevano* di dire e basta.

Ma perché non se ne è tornata al suo paese, Milena, quando è uscita di qui?

Ah, poche volevano tornare a casa, scuoteva la testa il prete, a casa avevano situazioni difficili, 20 niente lavoro, famiglie con problemi.

Gli cerchiamo una sistemazione qui in Italia, in qualche brava famiglia, diceva la direttrice, e intanto vediamo di metterle in regola col permesso di soggiorno. 25

deperimento, perdita di salute
reticente, chi non vuole rispondere o dare informazioni
omettere, evitare

Anche noi, diceva la volontaria, facciamo tutto un lavoro di *valutazione*, studiamo i *progressi* giorno per giorno, è una cosa molto, molto...bella.

Prima le facciamo uscire per brevi giretti in centro, a vedere un po' di *vetrine*, prendere un caffè, riabituarsi al traffico, al rumore, diceva la direttrice.

Non da sole, diceva il prete, a due o tre per volta, e accompagnate.

Da chi? Da lei?

No, da Semeraro, diceva il prete, un nostro uomo di fiducia che è stato guardia del corpo, ha una lunga esperienza e le ragazze le sa prendere, ride e scherza con loro, e loro gli danno ascolto, gli vogliono bene.

Tanto valeva *approfondire* un momento con questo Semeraro.

Dov'è? E' qui?

Sì, ma non abita qui, abita a due passi. Semeraro è una bella *risorsa* per tutti noi.

Sì, un bell'elemento, ammetteva la volontaria stringendo le *labbra*.

Che in italiano significa esattamente il contrario.

La direttrice mi ha spiegato che Semeraro era un tipo un po' *grossolano* nei modi, nel linguaggio, si lasciava

labbra

valutazione, considerazione
progresso, sviluppo
vetrina, grande finestra di un negozio
approfondire, esaminare a fondo
risorsa, ricchezza

scappare certe parole un po' forti...
Tre minuti dopo è arrivato.
Un uomo basso, sulla sessantina, che s'era messo una camicia bianchissima ancora con le pieghe, pantaloni scuri. 5

La figlia

Bisognerà pur trovarlo, questo assassino, e non dovrebbe essere nemmeno troppo difficile. Quel Janko, quel bandito arrivato al matrimonio a rovinarci la festa. Il nome gliel'abbiamo dato, gli altri particolari li troveranno loro. Gli abbiamo anche dato tre 10 o quattro immagini, perché tre o quattro amici riprendevano tutta la cerimonia sicché quella scena è rimasta sul Dvd. Lui e Milena, lui e Semeraro, lui e papà, lui e Casimiro. Hanno fatto un ingrandimento dell'immagine più *netta* e papà la sta ora confron- 15 tando con un album di *foto segnaletiche*.
Nei primi giorni è rimasto chiuso in casa ma c'era sempre anche Bea, e anch'io cercavo di passare qualche ora con lui, anche se per la verità non ero molto consolatoria. Mi stavo separando da mio 20 marito e stavo scoprendo che qualsiasi separazione fa molto male.
Papà continua a guardare attentissimo le foto dei possibili assassini, banditi. Cosa potevo raccontare a un uomo d'ordine come lui del mio disordine, di 25

grossolano, volgare
netto, chiaro
foto segnaletiche, foto di criminali, foto che segnalano delinquenti

un *divorzio* comunissimo? Già la moglie non gli aveva "funzionato", adesso anche la figlia.

Bea mi è stata a sentire per due pomeriggi di fila, più una sera dopo il cinema. Con la mamma non avrei certo potuto *sfogarmi* così, la mamma aveva un carattere più...disattento. Bea ascoltava continuando a dipingere il ritratto della mamma da una bella foto di qualche anno fa e alla fine s'è alzata, si è pulita le mani e ha detto la sua: era d'accordo con me, era l'unica soluzione, meglio divorziare. A spiegare la situazione a papà ci ha pensato Bea, che gli ha anche però annunciato la mia intenzione di lasciare Superga, scendere a Torino e stabilirmi nella sua grande e vuota casa della Crocetta insieme ai bambini, da lui amatissimi. Li avrebbe avuti sempre sotto gli occhi, invece di guardarli negli album di famiglia.

La barista

Brancolavano, altro che se brancolavano. Gliel'ho detto anche al carabiniere (carino) venuto a *prelevarmi*. Per venire a prelevarmi mentre me ne sto qui dietro il bancone a fare il mio lavoro, significa che state brancolando.

divorzio, fine di un matrimonio
sfogarsi, confidarsi completamente
brancolare, non sapere cosa fare, dove andare; agire con incertezza
prelevare, prendere

Noi lavoriamo, ha detto quello senza muovere un *muscolo*, ma si vedeva che c'era rimasto male. Signorina, dobbiamo recarci in caserma quanto prima. E in caserma le foto dei delinquenti da guardare, controllare, esattamente come in tv. 5

Ha mai visto qualcuna di queste facce nel suo bar? Facce da *galera*, ma da noi, al bar Ciro, si vedono *di rado*, da noi non ci sono strani giri, è più un bar di habitué, gente del quartiere come il Covino Cesare, il marito della bidella, la spiona. Studenti, anche, in certe ore. Operai. E qualche puttana di tanto in tanto che poi va al lavoro verso Stupinigi o nei prati intorno alla Fiat. 10

E la morta ammazzata non l'ha mai vista prima? No, mai vista, e poi del resto non era nemmeno una puttana vera. Cioè, ex. In ogni modo adesso era una signora, la moglie di un pezzo grosso. Cosa ci faceva in quel fosso una signora, me lo spieghi tu? 15

Il bel soldatino diceva che però era vestita da prostituta, non da signora. Tutte le fanno queste cose, a parte la sottoscritta. Quindi lei, per tenere allegro il marito, si è combinata così. 20

Già, ma il fosso, signorina, diceva il bel militare. Per il fosso non so, non ho idea, non saprei proprio, l'avranno portata lì in macchina già bell'e strangolata e l'altro vestito sarà rimasto in casa o l'avranno bruciato o buttato o sarà rimasto in macchina e quando trovate la macchina siete a posto. L'avete trovata la macchina? 25

No, non l'avevano trovata, stavano cercando ma 30

galera, carcere
di rado, raramente

non sapevano nemmeno che tipo di macchina, insomma brancolavano. E non sapevano nemmeno che tipo di vestito, jeans, camicetta o un vestito intero, giacca e pantaloni, niente? No, niente, brancolavano anche lì. Sì, sì, lo sapevo, il giornale metteva tutti i particolari: lei era sola in casa, magari in *pigiama*, magari nuda, qualcuno doveva aver suonato, lei aveva aperto senza sospetti, dopodiché s'era vestita, o l'avevano vestita, da puttana e via verso il fosso.

Alla fine, dopo due ore buone, s'è convinto che non sapevo niente e non ricordavo niente e mi ha riportata al mio bar. Fuori della caserma ho cambiato discorso, non ne potevo più, adesso te le faccio io le domande, bel biondino, sei di Torino, no, non lo era, e da quanti anni era a Torino, da tre anni, prima era a Sondrio e ancora prima in provincia di Grosseto. E ce l'aveva la fidanzata, be' insomma; allora la ragazza, una ragazza; be' insomma. Timidino. *Arrossiva*. Siamo arrivati al bar che gli stavo raccontando del mio coniglietto e l'ho invitato a prendere un caffè.

La carabiniera

Quello che finora sappiamo, spiegavo ai miei reticenti, è che Milena è stata uccisa l'altro ieri, sabato, probabilmente in tarda serata. Ma non nel luogo dove è stata trovata. L'assassino o gli assassini l'hanno portata in quel fosso dopo il delitto.

pigiama, abito da notte
arrossire, diventare rossi in viso per timidezza

Passavo lo sguardo dall'uno all'altro, il prete, la Maria Ludovica, Semeraro e pensavo: potrebbero essere questi tre gli assassini? Uno fuori alla guida, due che entravano nella villa. Di loro Milena si sarebbe fidata, avrebbe aperto... Non c'erano tracce di telefonate in arrivo o in partenza sul cellulare della vittima. Quindi gli assassini si erano presentati di sorpresa, senza avvisarla. O era un appuntamento già combinato dal giorno prima, da diversi giorni prima? Lei li stava aspettando?

La parola "*alibi*" non è stata pronunciata da nessuno, non ce n'è stato bisogno. La donna a Milano. Il prete a Brescia a trattare l'*affitto* di un villino per un nuovo Centro. Semeraro a Biella. Potevo solo ripartire dall'ultima volta che avevano visto quel Janko.

Al castello, al matrimonio, in settembre. E come c'era arrivato? Chi gli aveva detto del matrimonio? Non era stato un matrimonio segreto, la voce aveva girato e qualcuna delle ex ragazze del Centro poteva averlo informato. Doveva essere questo l'altro *scandalo*, di cui parlavano la sera prima il banchiere e la figlia.

«Per fortuna che c'era Semeraro.»

«Ma io non ho fatto niente...»

«No, no, lei ha salvato la situazione, senza il suo intervento chissà come sarebbe andata a finire.»

«Ma cosa sperava di fare, cosa pensava di ottenere?» dicevo io.

alibi, giustificazione
affitto, somma da pagare ogni mese per una casa
scandalo, fatto che sorprende in modo negativo altre persone

«No niente, se la voleva riprendere, completamente fuori di sé.»

Semeraro era riuscito a cacciarlo fuori.

« Ma un uomo così resta sempre una minaccia, no?»

« Purtroppo abbiamo *sottovalutato* il pericolo» sospirava il prete.

Il marito aveva ovviamente pensato ad una guardia del corpo, aveva perfino offerto l'*incarico* a Semeraro. Ma non c'era stato niente da fare. Milena si rifiutava, non voleva sentirsi un'altra volta prigioniera, diceva che in casa era al sicuro, che sarebbe comunque uscita pochissimo, aveva il marito, aveva i bambini, il giardino...

La migliore amica

Non era il caso di passare la notte in quella casa *presidiata* dai carabinieri e così ho sistemato Giacomo e Camilla da me, nel mio *attico* su corso Einaudi, a duecento metri da lì. Subito a letto, senza parlare. Nessuno ha passato una buona notte. Poi loro due sono andati in caserma, io alla villa, dove c'era lo stesso militare di ieri sera, Gilardo.

Mi ha portato a controllare i vestiti, ma l'ho subito *disilluso*, non erano di Milena, erano di Fiorenza,

sottovalutare, non prendere abbastanza sul serio
incarico, compito
presidiare, custodire, sorvegliare
attico, ultimo piano abitabile di un palazzo
disilludere, togliere le illusioni

la prima moglie, Milena i suoi (pochi) li teneva in un altro *armadio*.

«E non manca niente?»

«Ne manca almeno uno, direi.»

Mancava il *lino* di Armani. Gilardo si segnava tutto. La porta dello studio di Giacomo era aperta e si vedeva il ritratto di Fiorenza. Gilardo ha fatto un passo dentro. 5

«Quella è la prima moglie?»

«Sì. L'ho presa da una vecchia fotografia.» 10

«L'ha dipinto lei? Bravissima. Un bellissimo ritratto.»

«Diciamo che ho fatto del mio meglio. L'ho fatto per Giacomo, dopo che lei è...mancata.»

«La frutta sembra la stessa che c'è di sotto.» 15

«Ma è la stessa.»

Gilardo si guardava intorno.

«Bei bambini.»

C'erano fotografie di quei due dappertutto.

«E la signora » diceva esitando Gilardo. « Cioè 20

lino, stoffa fatta con la pianta del lino

prima di diventare la signora...»
«Milena? Sì certo, era la bambinaia, è stata la loro bambinaia per più di un anno.»
«E dopo che s'è sposata è arrivata un'altra bambinaia?»
«No, assolutamente, Tommi e Matti volevano solo Milena. Non so come faremo a dirglielò che non c'è più...la *pozione*...»
La pozione *magica*...Tutto è cominciato dalla pozione, si potrebbe dire. Magica davvero in un certo senso.

La volontaria

Cosa crede, che non le sappia anch'io tutte le brutte parole...è solo che non le voglio dire, quel... *maiale*, per non dire altro, quella scena giù nel...no, non ci voglio pensare, ma prima o poi finisce che racconto tutto a Maria Ludovica, a don Traversa, lo faccio cacciar via, non possiamo tenere qui un traditore schifoso, con tutti che si fidano di lui, Semeraro qua, Semeraro là, e lo scusano, lo difendono, io finisce che vado a parlare col *vescovo*, gli racconto tutto quello che ho visto coi miei

maiale

pozione, bevanda composta da vari ingredienti e con effetto speciale
magico, che ha poteri straordinari
vescovo, chi ha una posizione importante nella Chiesa, chi governa la diocesi, cioè molte parrocchie

occhi, e poi quell'altra volta a Vezzolano, e lui non si è accorto che l'ho visto là sotto con la Seda, quando una vede certe scene, l'unica è parlarne col vescovo, perché tanto per Maria Ludovica con quello lì, quel maiale, io sono *prevenuta*, e don Traversa dice che non so stare allo scherzo, ma vorrei vedere se vedeva lui la scena che ho visto io, uno come Semeraro è un *Giuda*, un pericolo per tutte le ragazze, Milena compresa, povera Milena...

Signore santo, di nuovo la giornalista di ieri, eccola qua fresca come una rosa a *ficcare il naso*.

«Sono uscita a prendere un po' d'aria, un caffè, un qualcosa, ma il lunedì qui a Gelandia è chiusura, ma per fortuna lasciano le sedie fuori, sono solo di plastica.»

E quella a protestare, a insistere, ma no, ma no, passando ho visto un bel bar aperto a cento metri da qui, venga su, le do un passaggio, arrivo adesso da Novara, volevo fare un salto da voi, sentire un po' se c'è qualche novità, sono arrivati i carabinieri?

Altroché se sono arrivati, sono tutti lì a parlare con la direttrice e don Traversa e con un nostro ottimo *collaboratore*.

Semeraro ?

Sì, Semeraro.

«E' un tipo...be', non m'è piaciuto molto.»

«A chi lo dice.»

«Su, andiamo a prendere questo caffè, coraggio.»

prevenuto, chi è contrario a qualcuno, a qualcosa senza veri motivi
Giuda, persona che tradisce
ficcare il naso, essere troppo curiosi
collaboratore, chi lavora con altri

E mi diceva che Semeraro ha allungato le mani anche con lei, il maiale. Ma il maiale, poveretto, c'è un santo che se lo tiene sempre vicino.

«Lei che è giornalista sa perché c'è un santo, forse san Rocco, che ha sempre vicino un maiale?»

Non lo sapeva, giornalista e ignorante.

«Io l'ho visto una volta sola, ma mi è bastato.»

«Con una delle ragazze?»

«Sì, una scena, ma una scena...lei era in ginocchio davanti a lui, e lui...»

«Ho capito, ma lo fa con tutte? E anche con Milena...»

«No, spero di no, ci avrà magari provato ma Milena era...»

Mi vengono i brividi a pensarci. Non il maiale, povera bestia, il lupo! Ci teniamo un lupo in mezzo alle *pecorelle*, ecco cosa devo dire al vescovo. Voglio vedere cosa gli fa la Mariuccia quando lo sbattono fuori... Le fa sempre un sacco di regali...

Cosa c'è da ridere, cosa ha da ridere?

«No, niente, stavo pensando, pensavo alla nostra brava cuoca, a Mariuccia...»

«La *convivente*...?»

pecorelle

convivente, chi vive con un'altra persona

No, non convivente, lui sta da solo qui dietro, e Mariuccia sta con sua figlia dall'altra parte di Vercelli. Una ragazza sfortunata, s'è voluta sposare a sedici anni e a diciotto era già separata, la mamma l'ha ripresa in casa, si ammazza di lavoro da noi e in altri due posti, povera Mariuccia, povere donne che siamo tutte quante.

La migliore amica

Gentile quel carabiniere, ma il ritratto di Fiorenza non è un buon ritratto. La frutta di marmo è venuta bene ma io non sono una ritrattista, questo l'ho fatto per Giacomo, che me l'ha anche detto commosso fino alle lacrime.

Facevamo discorsi con Fiorenza. Sotto sotto, diceva lei, sei una *fanatica*, sei della stessa razza di quelli che se ne vanno in Africa a portare le *merendine* ai bambini con gli occhioni.

Fanatica? No. Un po' di mercatini di *beneficenza*. Anche soldi. Ma lì finisce. Io sto all'*immediato*, che posso controllare. A Matti e Tommi, i figli di Camilla, che dopo il divorzio sono rimasti a lei. Lì non era difficile intervenire, con tutto quello spazio in quella casa vuota. Anche Camilla vedeva bene la cosa. Tutti e tre (più la bambinaia) sotto lo stesso tetto.

I bambini sono arrivati. Naturalmente io ho lasciato la casa, ma passavo ogni giorno a dare

fanatico, chi è animato da entusiasmo esagerato
merendina, piccolo dolce
beneficenza, aiuto ai poveri
immediato, diretto

un'occhiata. Camilla, felice, non la finiva più di ringraziarmi, papà era di nuovo lui.

Una sera li ho trovati tutti e tre, i bambini e Giacomo, che *frugavano* nell'erba. Cercavano *vermi, insetti*. Matti ha trovato un piccolo animaletto e l'ha infilato in un alto bicchiere. 5

«Sta' tranquilla, gliel'ho dato io» chiariva Giacomo. « Stiamo facendo la pozione.»

« E' una pozione magnifica.»

E a quel punto ho capito che era venuto il momento di fare una bella *chiacchierata*, fra noi due. 10

La figlia

E lei, Bea, è una donna così meravigliosamente pratica, va dritta al punto e tu ti vergogni sempre un po' dei tuoi *tentennamenti*. Anche lei, però, per il *necrologio* di Milena sta tentennando parecchio. 15

«Ci vuole una cosa il più possibile *neutra*...»

Papà *annuisce*. Ma cosa c'è di neutro in uno scandalo di questo genere? Tutti i giornali sono pieni di foto di papà, del fosso coi carabinieri lì attor-

frugare, cercare con attenzione
chiacchierata, colloquio o discorsi fra due o più persone
tentennamento, indecisione
necrologio, annuncio stampato per la morte di una persona
neutro, che non ha molta importanza, che non è troppo esagerato
annuire, fare segno di sì con la testa

no, della villa del banchiere, della banca, nonché di Milena. Ma papà per ora tiene duro.

«Ma una cosa troppo…neutra è come ammettere che ci vergogniamo, che io mi vergogno. E questo non lo sopporto assolutamente.»

Bea va a prendergli un bicchier d'acqua in cucina. Vive sola. Vive in una casa che le somiglia, tutta bianca, con pochissime cose. Molto elegante ma piuttosto fredda.

Per il funerale si vedrà. Fiori: Rose? Papaveri? ... Sceglierà Bea, ci penserà Bea, che torna col bicchier d'acqua, accarezza la fronte di papà e lui la guarda di sotto in su, riconoscente. E io lascio venire su una domanda: ma Bea e papà sono stati *amanti* mentre la mamma moriva? O magari anche prima?

La migliore amica

Verso i bambini, i nipoti, Giacomo si sente in debito perché l'hanno aiutato a uscire dal *lutto*. Non è stata una rinascita. Ecco di nuovo le stelle, il mare, i gatti, dopo gli anni terribili della malattia e la morte di Fiorenza. Tutto fresco, tutto ancora da scoprire e da condividere. Ma non con me, non più con me.

Caro Giacomo. Un uomo semplice, leggibile senza occhiali. Fiorenza lentamente moriva con quel sorriso senza senso e lui la stava a guardare.

Ho fatto tutto io, in casa mia, una sera che era

amante, chi ha una relazione fuori dal matrimonio o dal rapporto di coppia
lutto, dolore per la morte di una persona cara

venuto a cena da me. Non ne voleva sapere di ristoranti e trattorie.

Non si può parlare di *seduzione*, non c'è stata nessuna seduzione. Certo, prevedevo il momento, volevo che arrivasse, mi ero messa quel lungo vestito e sotto niente, per facilitargli le cose. Poi mi sono semplicemente alzata dal divano, gli ho preso la mano e l'ho portato in camera da letto. Né io né lui abbiamo detto una parola.

Alla fine mi ha baciato in fronte, ha pianto un po'. Sapevamo che non era stato tradimento. Io la vedevo come una *congiunzione* tenerissima tra due di dolore, di pena, pietà attorno alla cara Fiorenza. Si può chiamare amore una cosa così? Io dico di sì. E sempre in quel modo ci siamo incontrati altre volte, due o tre sere per settimana, o tutte le sere, o lasciando invece passare giorni e giorni parlandoci solo con gli occhi.

Quando Fiorenza è morta tutto è finito.

«Senti Giacomo...»

Gli stringevo il braccio, lui taceva. Mi sono fermata e allora gli ho detto che lo capivo, che quello che era successo a casa mia non poteva continuare nello stesso modo, che la morte di Fiorenza era un confine, un limite. Abbiamo fatto una cosa disperata, ma bellissima, Fiorenza avrebbe capito, avrebbe detto...

Avrebbe detto, *sibilava* lui, un marito che non ha quel minimo di sensibilità per controllarsi con la

seduzione, il fare innamorare qualcuno
congiunzione, unione
sibilare, parlare con ironia, come fra i denti, come con suono di fischio

mia migliore amica. Questa è la verità, Bea.
«Comunque spero che non romperemo la nostra amicizia» chiedevo sorridendo.
«Ma no, cosa dici, che c'entra, quella è stata
5 una...*parentesi* che dobbiamo dimenticare tutti e due, come se non fosse successa. L'amicizia è l'amicizia, l'affetto resta quello di sempre, perché alla fine...solo tu mi sai dare...Sei sempre bellissima.»

La giornalista

Due stanze in una casa popolare. Era lì che abitava
10 la cuoca del Centro. La cuoca non c'era ma c'era la figlia.
«Mi manda la Lucia, del Centro.»
Quando le ho spiegato che ero della tv e volevo parlare di Milena con sua madre o con lei ha detto
15 «Boh» e mi ha fatto entrare. Angolo-cucina e un forte odore di caffè. Sul tavolo libri e fotocopie. Mi chiedeva del mio lavoro, lei voleva *laurearsi* all'Università di Alessandria. Quella ragazza mi faceva pena, chissà perché. Vanessa, così si chiamava. Aveva alle dita
20 un bel po' d'anellini e anelloni da niente.
«Mi ha detto Lucia che sei stata sposata.»
«Un inconcludente. Fumo, zero via zero.»
E così adesso la manteneva la madre, la cuoca, che le parlava spesso di Milena, che però lei Vanes-
25 sa non aveva mai conosciuto, l'aveva vista solo in fotografia, la foto del gran matrimonio al castello.

parentesi, un periodo di tempo limitato, esperienza di breve durata
laurearsi, finire gli studi dell'università

Una bella foto. Al centro la sposa, bellissima, con un vestito azzurro ghiaccio. E il marito, il banchiere. Bell'uomo, alto, un braccio attorno alle spalle di lei. E poi c'era Lucia, c'era don Traversa, c'era anche Semeraro. *5*

«Sul centinaio di persone» ha detto Semeraro dalla porta. Aveva le chiavi, era entrato. Portava lui Vanessa alla lezione di Alessandria.

«Mi devo cambiare, vattene di là.»

Ha *sollevato* un vestito. Gliel'aveva regalato *10* Semeraro sbagliando completamente la misura.

«L'ho preso al volo al mercato di Biella, era l'ultimo che c'era in offerta.»

«Se mi facevi venire con te io avrei capito subito la misura.» *15*

Sabato lui era andato a Biella, e non l'aveva invitata.

«Mi dovevi invitare, è una mancanza di rispetto, lo vuoi capire o no? »

Era lei, non la cuoca, a farlo filare. La figlia e la *20* madre: gli doveva piacere l'idea, al maiale del santo. Lei s'è infilata un T-shirt cortissima, bianca.

Semeraro l'ha caricata su un piccolo *fuoristrada* Toyota e se ne sono andati.

La figlia

Eva, la bambinaia così così, se n'era andata in giu- *25* gno. E' stato in quel periodo che Beatrice ha trova-

sollevare, prendere qualcosa che sta in basso, alzare un po'
fuoristrada, tipo di potente automobile con le ruote alte

to Milena. *Referenze*: ragazza d'oro, bella presenza, gentile e lavoratrice. Caldamente raccomandata anche da un'amica di Beatrice, Maria Ludovica. E c'era pure di mezzo quel prete, don Traversa, di quelli che aiutano le immigrate.

La *capanna* l'ha presa papà ed è rimasto lì a controllare mentre la montavano in giardino. Porticina bassa e due finestrelle. E due *brandine* dove Matti e Tommi si precipitavano, quando c'era un *temporale* per sentire le gocce cadere sul tetto.

«Via, via, venite via, non si sta sotto gli alberi quando piove, può cadere un *fulmine*!» diceva Milena.

fulmine

Una scena familiare. Papà ogni tanto alzava gli occhi dal giornale, guardava Milena, poi mi sorrideva.

Poi una sera poco prima di cena è arrivato alla porticina con un attimo di ritardo, la *locandiera* è *sgusciata* via, lui l'ha rincorsa per il giardino, l'ha *afferrata* da dietro, l'ha tenuta stretta contro di sé per un attimo troppo lungo. Era rosso in faccia e anche Milena lo era. E a tavola papà era allegrissimo, lei *muta*. Così è anda-

referenza, informazione sulle capacità lavorative di una persona
capanna, qui: piccola casa di legno collocata in giardino
brandina, semplice letto composto da rete e materasso
temporale, pioggia forte con fulmini e tuoni
locandiera, qui: proprietaria della capanna
sgusciare, scappare via di nascosto
afferrare, prendere con forza
muto, che non parla

ta. Papà a sessant'anni s'è *invaghito* della bambinaia *extracomunitaria* ventunenne. Vado da Bea, mi sono detta. E le ho *confidato* la verità.

La carabiniera

No, il vestito non l'avevano trovato, diceva Gilardo, ma la mela di marmo sì.

«Vieni che ti faccio vedere.»

La porticina era per dei bambini, come tutta la capanna.

«Hanno bloccato la ragazza in casa, le hanno probabilmente dato un colpo di mela alla *nuca*, l'hanno trascinata fuori e può darsi che l'abbiano spogliata e poi rivestita proprio qui nella capanna.»

«Anche strangolata?»

«Non si sa, ma questo posticino sarebbe l'ideale, no?»

«E hanno gettato via la mela?»

«E' finita sotto la brandina, lì.»

«Ma se è qui che l'hanno spogliata ci dovrebbe essere il vestito.»

«E invece non c'è. Vuoi che usciamo, cerchiamo un bar, mangi qualcosa?»

«Non ci sono bar in questo quartiere.»

invaghirsi, innamorarsi
extracomunitario, chi o che non appartiene all'Unione Europea (UE)
confidare, raccontare quasi in segreto

«Di là ci sono i due peruviani o colombiani, cuoca e camerierе, andiamo a farci fare un panino.»

Aprivo gli occhi e dicevo a Gilardo quel che mi suonava strano: l'avevano rapita, ce l'avevano in macchina, potevano chiedere un *riscatto*, il banchiere avrebbe pagato. La ragazza restava pur sempre un capitale, la potevano portare in Germania, in Spagna e rimetterla sul marciapiede, che bisogno c'era di ammazzarla? Una dimostrazione, diceva Gilardo, una lezione per tutte le altre.

«Già, e anche rimessa in divisa da puttana.»

«Più chiaro di così.»

La giornalista

Questa qui, questa carabiniera, quando è uscita da quel cancelletto, ha avuto un piccolo sorriso, ha alzato la mano.

«Dio, che giornata. Sono morta.»

«Anch'io.»

Abbiamo fatto qualche passo insieme. Mi è venuto in mente il maiale del santo.

«Scusa, ma tu sai perché c'è un qualche santo sempre rappresentato con un maiale? Ero andata a Vercelli a ficcare un po' il naso, sai, per quel Centro, per quel don Traversa and Company.»

Abbiamo continuato a camminare a piccoli passi in silenzio. Eravamo arrivate alla mia macchina, mi sono fermata.

riscatto, somma che si paga per liberare una persona

«Andiamo a prendere una pizza da qualche parte?»

Con l'idea ridicola di tirarle un po' su il morale le ho detto di Vanessa e di Semeraro, se non c'erano già arrivati per conto loro. No, non lo sapeva.

«Magari vale la pena di una visitina, tanto per dare un'occhiata. Perché a me quel Semeraro...»

«Già...E domani devo andare a Biella a controllare un po' di cosette.»

Così siamo andate a farci questa pizza.

La figlia

«Ma la bambinaia! Alla sua età! Ma la bambinaia, abbi pazienza! Che per di più mi andava così bene! Cosa posso fare adesso, santo cielo?»

Niente, non dovevo fare niente, secondo Bea. Era pur sempre mio padre che mi ospitava, me e i miei errori. E comunque cosa volevo? Che lui le mettesse su un appartamentino nei dintorni per andarla a trovare dopo l'ufficio?

«I bambini mica sono scemi, si accorgeranno che papà la tratta in un altro modo. Come farò a dirle Milena si sbrighi, ...»

Rideva Bea. Milena sembrava, era, una ragazza seria, capacissima di vedere da sé i pericoli di uno...sviluppo di quel genere.

«Ma se invece è innamorata? Se ci tiene anche lei a papà, che le rappresenta la famiglia, la protezione, la sicurezza e le altre belle cose?»

Papà innamorato davvero? Be', Milena era molto bella, molto gentile, aveva modi affettuosi, i bam-

bini l'adoravano...la moglie ideale in una parola.
«No, no, la moglie assolutamente no, non voglio nemmeno pensarci! Sappiamo come sono gli uomini a quell'età! Vogliono ancora un figlio, due figli! Tu pensa solo cosa sarebbero per me i figli di una *matrigna*, una matrigna rumena di ventuno anni. I fratellastri, zii o cugini di Matti e Tommi, c'è da morire...» 5
«Vediamo di non perdere la calma, d'accordo Camilla? Vediamo di non esagerare, ci parlo io con la ragazza, va bene?» 10
«Ma perché non te lo sposi tu, papà, scusa? Saresti perfetta.»
«Per la più semplice delle ragioni: non mi ha voluto.»

La migliore amica

La *tresca* con la bambinaia! 15
Eravamo al golf, lui giocava e camminava due passi avanti a me, tranquillo. Non c'era nessuna tresca, protestava sorridendo.
«E' chiaro che tu le piaci. Non si può andare avanti così, che facciamo, la mandiamo via?» 20
Sorrideva. Ha tirato il suo colpo senza starci a pensare e forse per questo gli è venuto non male.
«Ti stai innamorando?»
Ha tirato un colpo forte, lungo e la pallina è finita nel sottobosco. 25

matrigna, la nuova moglie del padre vedovo, nuova madre rispetto ai figli
tresca, storia amorosa segreta

«Accidenti!»

Era a me che rivolgeva l'accidenti. Ci siamo messi a cercare la pallina.

«Certe cose uno non può farle. Andare a letto
5 con la bambinaia.»

«Ma sono pure andato a letto con la migliore amica di mia moglie» ha detto.

«Senti Giacomo, mandiamola via, che sarà mai?»

«Che sarà mai...» ha detto alla fine, gli occhi
10 chiusi «...di Milena?»

Era innamorato, l'avrebbe sposata pur di non perderla.

La figlia

Alla fine, non resistevo proprio, l'ho chiamata io sul cellulare, pronto pronto, sono io, com'è andata?
15 Dove sei? Com'è andata, le hai parlato, dove l'hai portata, a casa tua o dove?

«No, non a casa, poteva sembrare un interrogatorio. Tutto bene, almeno nel senso che...»

No, dovevo stare tranquilla, non era ancora suc-
20 cesso niente, era tutta una cosa di occhiate e sorrisi, la ragazza era intelligente, era seria, capiva benissimo la situazione. Papà le faceva dei piccoli regalini, e lei li accettava, e comunque lei non ci pensava nemmeno a cedere, e piuttosto preferiva
25 andarsene, trovarsi un altro posto, anche se Matti e Tommi erano bambini meravigliosi, lei si era veramente *affezionata* e a casa nostra si trovava bene,

affezionarsi, legarsi affettivamente

era una famiglia di brave persone, aveva detto proprio così "brave persone".
«Ma te ti senti una brava persona?»
«Io no» diceva Beatrice, «ma se le facciamo quell'effetto lì, perché disilluderla?» 5

La volontaria

Semeraro è venuto dalla direttrice, da Maria Ludovica, a raccontare che aveva avuto l'incarico di raccogliere precise informazioni su Milena. Da chi? La richiesta delle "precise informazioni" viene dal banchiere dove Milena è al servizio come bambi- 10 naia. Semeraro aveva lavorato per il banchiere anni fa, guardia del corpo, e il banchiere lo considerava un uomo di fiducia e ogni tanto gli affidava piccole indagini di sorveglianza privata.
Ma il banchiere è *al corrente* o no del triste pas- 15 sato di Milena ? No, non ne sa niente. Ma la figlia coi bambini è stata informata?
«*Genericamente*.»
«Cioè?»
«Quando escono, al primo lavoro le mettiamo in 20 casa di gente sicurissima, famiglie *disposte* a prendersi la responsabilità, che le aiutano anche in senso affettivo. Le abbiamo detto che Milena veniva da una situazione molto difficile, ma che ne stava...Le ha parlato Beatrice, sai quella mia amica di Torino...» 25

essere al corrente, avere conoscenza di quello che sta accadendo
genericamente, in modo vago, non completo
disposto, pronto

«Così né il banchiere né la figlia sanno che viene dal marciapiede.»

«Per questo ti ho fatto venire, volevo prima consultarmi con te se dobbiamo avvisare il banchiere. Una sua richiesta di informazioni può voler dire o che Milena li ha *insospettiti*, si comporta male, s'è messa a frequentare brutta gente, ha magari rubacchiato...eh, già non sembra possibile...E allora può voler dire che il banchiere s'è innamorato di lei, che la vuole sposare.»

Sono scoppiata a piangere. Sembro una povera stupida che si commuove per la minima cosa. Se quel banchiere voleva sposare Milena senza sapere niente del suo passato, toccava a noi informarlo o potevamo anche lavarcene le mani e starcene zitte? Mi asciugavo gli occhi ma la mia idea me l'ero già fatta.

«Non gli diciamo niente.»

Lei protestava. Era una questione di coscienza, un passo che poteva costare caro a Milena e al Centro.

«Io trovo che bisogna parlare prima con lei, discutere la cosa con Milena, che idea si è fatta del suo possibile avvenire di moglie. Milena ha davanti un'altra vita. E se la merita al cento per cento. Parliamo con lei. Andiamo a Torino. Milena può rifarsi una vita, e noi dobbiamo darle una mano.»

insospettire, creare in qualcuno motivi di sospetto, di diffidenza, di poca fiducia

La barista

Alle 21.03 ero lì che chiudevo il bar Ciro, e me lo sento alle spalle, il Pocopane Attilio, in divisa e tutto. Che *pretesto* poteva ancora tirar fuori, a quest'ora? A me piacciono anche quando arrivano senza pretesto. 5

«No, niente, volevo solo controllare un nome, se mai ti diceva qualcosa.»

«Scusa, eh, ma io qui non ho mica finito, ce n'ho ancora per un pezzo...»

«D'accordo, aspetto» e s'è messo con le mani 10 dietro la schiena, lì davanti al bar.

«Ma no, vieni dentro. E cos'è questa storia del nome? Che nome?»

«E' un nome che è saltato fuori stamattina. Un certo Janko.» 15

«Janko, eh? Albanese? Slavo? E sarebbe lui l'assassino? No, mai sentito...Janko, dici. Hai fame? Ti posso *scaldare* delle pizzette e ci sono rimasti dei panini di stamattina e...»

«Non ho fame. Anzi, no, pensavo che magari...» 20

«Vuoi invitarmi a cena? Dimmi la verità, come giudicheresti una ragazza che ci sta subito, senza tante storie...Che hai una bella fortuna o che lei è una puttana?»

«No, no, dopo tutto anche le ragazze han- 25 no...,be', voglio dire...Insomma è più che naturale, in fondo anche loro...»

pretesto, finto motivo, scusa
scaldare, mettere in caldo, fare diventare caldo

Non sapeva se doveva ridere o se poteva passare direttamente al bacio.

«Su, dai, che ti invito a casa mia e ti faccio conoscere un mio amico.»

5 E' la prova-coniglio quella che conta per me. Se legano subito con Nerino, se Nerino li approva, allora ci sto anch'io, senza tante storie.

La volontaria

Mi sono seduta. C'era poca gente e quel silenzio speciale delle chiese ma che sempre silenzio è e mi dà
10 tanto *conforto*. Ho pregato, ho pregato in ginocchio. Gesù probabilmente avrebbe detto andate in pace. Andate, il passato è cancellato, non conta più niente, sposatevi tranquillamente e ricominciate daccapo.

Ma poi pensavo: non sarò mica matta a volermi
15 mettere nella testa di Gesù? Lui sapeva, Lui ti leggeva dentro, Lui prevedeva. E io cosa sapevo prevedere? Che Milena sposava il banchiere e aveva dei bei bambini nella sua nuova vita? Allora mi sono rivolta piuttosto alla *Santa Vergine*, che mi
20 desse una pallida idea di quello che dovevo fare. Ma poi pensavo: del banchiere non so niente, in fondo nemmeno di Milena, nemmeno di Maria Ludovica, nemmeno di don Traversa, nemmeno di Semeraro. E se questa di Milena fosse tutta una
25 *sceneggiata*? Solo per arrivare a mettere le mani sul

conforto, aiuto morale
Santa Vergine, Maria, la madre di Gesù
sceneggiata, commedia, messinscena

banchiere, o su un avvocato, o su un industriale?
C'era Milena accanto a me nel banco, seduta. Aveva quel suo bel sorriso. L'ho presa per un braccio e l'ho portata fino a una *panca,* lì potevo parlare, sottovoce, dato il luogo. *5*
E allora *sussurravo* ma tu, Milena, ti sei accorta che il banchiere ha delle intenzioni, e lei sussurrava di sì, già da un bel pezzo, ma che lui era una brava persona, non insisteva, voleva farle prendere la *patente di guida* e regalarle anche una macchina, *10* voleva farle fare un bel viaggio, farle vedere Parigi e anche il Marocco, ma lei niente, non parliamone nemmeno, era una cosa sbagliata, una cosa brutta sotto il naso dei bambini e della figlia, e anche la signora Beatrice era pienamente d'accordo, piuttosto *15* andar via, cambiare lavoro, cambiare città.
Adesso piangeva lei, in silenzio. Le ho preso la mano tra le mie e dicevo di no, di stare serena, non dovrai scappare, non dovrai andartene chissà dove, perché lui ti vuole sposare. *20*
Lei non ci credeva, ma cosa dici, Lucia, l'ha detto a te, è impossibile, mai e poi mai, una come me. Piangeva più di prima. Ma lui non lo sa da dove vieni, sussurravo, e noi non glielo diciamo, noi ti aiutiamo, ormai non sei più quella di prima, sei *25* un'altra donna, Milena.
Ma lei *scrollava* la testa, non poteva, non poteva assolutamente, lui era una persona onesta e se la

panca, sedia per più persone
sussurrare, parlare a bassa voce
patente di guida, documento che dà il permesso di guidare un veicolo
scrollare, muovere in modo forte e ripetuto

voleva sposare doveva sapere chi sposava veramente, non era giusto non dirgli niente. Vai mai a sapere, una spiata, un *ricatto*, no, no, era meglio dire tutto, se era poi vero che lui la voleva sposare, una come lei.

5 Ho ancora insistito, pensaci bene Milena, noi non gli diciamo niente a questo banchiere, né io né Maria Ludovica, né la signora Beatrice, né Semeraro, ci prendiamo noi la responsabilità, siamo tutti dietro di te, vogliamo solo il tuo bene.

La figlia

10 La verità era che papà s'era innamorato di Milena. Tutto normalissimo. Il vedovo che si consola con la bambinaia. Cambiato? Ma che ne sapevo io di com'era papà, prima? Finalmente una sera siamo seduti nel suo studio. Grave, mi dice che vuole spo-
15 sare Milena. Aveva deciso e basta. Be', *balbettavo* io, se sei proprio sicuro...Sicurissimo, diceva lui.

Bea mi consolava: sì, sul momento sembrerà un po' ridicolo, ma è solo un momento, la gente si stufa presto e Milena imparerà in fretta, è intelligente.
20 Un anno, anche meno, e nessuno si ricorderà che faceva la bambinaia da te.

Papà era felice. Rideva. Mi parlava dell'anello, e se pensavo che il castello di Casimiro fosse troppo per il matrimonio. Era commovente, povero papà.
25 A quel punto anche io ero felice.

ricatto, minaccia di dire qualcosa a qualcuno se non si paga una certa somma o qualcosa
balbettare, parlare con difficoltà, spezzando le sillabe

La migliore amica

Gli racconto tutto o non gli dico niente?

Angelo mio. Sei stata brava, bravissima, hai avuto il tuo colpo di fortuna, il tuo premio, il tuo anello di Bulgari, cos'altro pretendi? Tu hai già fatto moltissimo per tirarti fuori, hai avuto un grande coraggio, hai combattuto una grande battaglia e l'hai vinta.. Tutti noi siamo ammirati, tutti noi siamo qui a sostenerti nella tua nuova vita, io, Lucia e Maria Ludovica e perfino Semeraro. Don Traversa non è al corrente, dici. Ma don Traversa non è detto che ti spingerebbe a parlare. Ti ha aiutata, ti ha salvata. Vai per la tua strada, fai la tua nuova vita, che è esattamente quella che sperava don Traversa, e tutti noi con lui, cara la mia ragazza.

Se gli dici la verità non ti potrà sposare, non se la sentirà di correre un rischio simile. Uno come lui non ama il rischio, la sua banca non è di quelle che rischiano. E sposare una ex prostituta è un rischio, passi la vita con l'angoscia che qualcuno salti fuori con ma lo sai che tua moglie...No, assolutamente, non ti sposerà. L'unica è di starsene zitta e convincerti che il passato è passato, che tu sei un'altra donna, con tutto il diritto di ricominciare, una fortuna che non capita a chiunque, te l'assicuro.

Ecco quello che ho detto a Milena per convincerla a non fare la stupida e sposare il suo Giacomo. Sarà bastato? Immagino di sì, perché Giacomo ha davvero sposato la sua Milena e tutta la cerimonia davanti a cento persone è stata un vero successo, fino all'arrivo di Janko.

La giornalista

«Ma tu l'hai visto questo Janko» dicevo al telefono,«hai visto tutta la scena...»

«No, no» diceva Nicoletta «io non c'ero, quel giorno avevo da fare, mi ha raccontato tutto Gabrielle, la moglie di Oddone e lei ha visto: la cosa sarà durata due, tre minuti, una specie di *parapiglia* con urla e *spintoni*, e lei, la sposa, che si *dibatteva*. Gabrielle dice che ha pensato a uno scherzo finché questo Janko, non è stato bloccato da una bottigliata in testa e poi Casimiro e Giacomo e altri l'hanno sbattuto fuori. Comunque *l'essenziale* l'abbiamo capito tutti, che cioè Giacomo aveva sposato una ragazza rumena arrivata dritta dal marciapiede, una puttana, capisci?»

Capivo, capivo. Non c'era stata denuncia. Scopo: evitare uno scandalo. Ma lo scandalo tra quei cinquanta e poi cinquecento c'era stato, come aveva capito la mia carabiniera («C'è stato ***un altro*** scandalo prima del delitto») e adesso lo cercavano dappertutto, questo Janko.

Ma una che aveva visto tutta la scena, informata sui fatti, io ce l'avevo. Lucia. Che era là anche lei a *festeggiare* la sposa, la sua cara Milena.

parapiglia, confusione, gente che viene alle mani
spintone, l'atto di spingere con violenza
dibattersi, muoversi, agitarsi per liberarsi
essenziale, cosa più importante
festeggiare, fare festa a qualcuno

La volontaria

Dovevi dirlo, dovevi venire *immediatamente* da me, non aspettare tutto questo tempo, tutti questi mesi e deciderti solo adesso quando ormai il male è fatto e la povera Milena non c'è più. Dovevi capire la gravità, la pericolosità di quell'incontro stranissimo. *5*

Dovevo, dovevo...La stupida, che ha visto e non ha saputo fare due più due. Ma tu, giornalista, cosa avresti pensato? Passavi, c'era quella *cascina* mezza *diroccata* e tu vedevi due macchine ferme lì davanti. Cosa c'era da sospettare? Tu ti fermavi e *10* andavi a chiedere il perché e il percome? Che tra l'altro non volevo arrivare in ritardo al matrimonio, e quelle strade sono piene di curve. E poi ero contenta e felice, avevo la testa solo all'*abbazia*, finalmente l'avevo vista. *15*

No, basta caffè, sarebbe già il terzo e sono già così nervosa, non so più cosa pensare, non so più se si possa resistere qui al Centro, con don Traversa che mi guarda come se fosse tutta colpa mia, perché secondo loro dovevo subito segnalare il fatto, *20* denunciare Semeraro, l'ottimo elemento, e così mi facevo ridere in faccia, ma dai Lucia, cosa ti metti in testa, lo sappiamo che Semeraro non ti *va a genio*, sei proprio fissata, ma lascialo perdere.

Semeraro, te lo confesso, mi ha sempre fatto pau- *25* ra, è un lupo, e in quel bosco con la Toyota del

immediatamente, subito
cascina, casa di campagna
diroccato, in cattive condizioni, quasi distrutto, cadente
abbazia, casa religiosa di monaci o monache
andare a genio, piacere

Centro, cosa ci faceva? E che ne so? Gliel'ho detto e ripetuto anche ai carabinieri. L'ho visto lì fermo davanti alla cascina e fumava con quell'altro, Semeraro e il *ricercato*, li ho visti benissimo, lui mi avrà visto o non mi avrà visto, non so, erano lì fermi a farsi una fumata, a Vezzolano non c'erano andati di sicuro, non li avevo visti dentro l'abbazia.

Io non me la sento più dopo quello che è successo, meglio i bambini, un Centro per bambini. A Milena piacevano tantissimo, li sapeva tenere, ci giocava, diventava una di loro, chissà se con questo banchiere...? Io non so se gliel'aveva detto del suo passato, non so se l'avevo convinta a star zitta, gliel'avevo tanto raccomandato quando ci siamo viste alla Consolata, lei voleva raccontargli tutto, al matrimonio non m'ha detto niente, mi ha solo abbracciata e naturalmente io piangevo di felicità perché comunque lui l'aveva sposata. Ma l'aveva sposata sapendo o non sapendo, anche se poi, quando è arrivato quel Janko, tutti ovviamente l'hanno saputo, lui la *insultava*, la tirava per un braccio e per i capelli, parolacce, e tutti noi lì a guardare, in piena festa, in mezzo a quei bei tavoli e che la rivoleva indietro, sul marciapiede, finché è saltato fuori Semeraro con la bottiglia...

Cosa ho pensato? Non lo so, li avevo visti insieme a fumare un'ora prima e adesso si picchiavano, Semeraro l'ha preso in pieno sulla testa e l'altro è *crollato* giù e poi l'hanno trascinato via, quello s'è

ricercato, chi è cercato dalla polizia
insultare, offendere, rivolgere parole di offesa
crollare, cadere

rimesso in piedi, è scappato giù per il bosco, e Milena era *terrorizzata*, balbettava, e il marito e la figlia e la signora Beatrice l'hanno posata su una *sdraio* e io cosa dovevo pensare? Se gli aveva dato la bottigliata in testa chi poteva immaginare che erano d'accordo, che facevano solo scena, adesso tutti me lo dicono: era tutta una scena, è stato Semeraro a guidarlo fino al castello, ma lì sul momento come potevo immaginarlo io, se nessuno se l'è immaginato? Solo io sono la cretina?

La figlia

Prima, vi dico, **prima**! Mio padre ha saputo tutto **prima** del matrimonio! Una notte. Erano le due passate e lui bussava alla mia porta. E' stata lei, è stata Milena a dirgli la verità, e lui adesso veniva da me a confidarsi. Si è seduto sul mio letto come quando ero piccola. Milena aveva fatto la vita, aveva fatto la prostituta.

E come lo sai?

Me l'ha detto lei.

S'è rimesso a camminare e io non aprivo bocca.

Papà ha tagliato corto, non una parola con nes-

terrorizzato, molto spaventato

suno, né con Beatrice né con chiunque altro, era una faccenda personale tra lui e Milena, non voleva consigli e pareri da nessuno, toccava solo a lui prendere una decisione. Ho capito solo dopo che la decisione l'aveva già presa, che per lui il matrimonio si doveva fare in ogni caso, il passato era quello che era, ma lei aveva avuto il coraggio di confessare tutto e questo contava più di qualsiasi cosa.

Per questo dico che mio padre non c'entra niente con l'omicidio. Se voleva liberarsi di Milena lo poteva fare allora, bastava dirle di fare le sue valigie e andarsene. Invece l'ha portata sul lago d'Orta, un posto che amava moltissimo. Lì sul lago in albergo ci sono rimasti tre giorni. Lui al ritorno è venuto da me e mi ha detto che il matrimonio si faceva. E silenzio assoluto con tutti.

Poi invece al castello c'è stato lo scandalo, tutti hanno saputo. Ma papà non ha fatto niente, sua moglie contava più di tutto.

E a quel punto lei, dico Beatrice...Cosa dice lei, che cosa vi sta raccontando?

La migliore amica

Dietro consiglio dei miei avvocati mi *avvalgo* della *facoltà* di non rispondere.

avvalersi, servirsi
facoltà, possibilità o diritto di fare qualcosa

La carabiniera

A venti passi da dove sedevamo noi, Gilardo e io, una vecchia *mendicante* se ne stava seduta con le spalle al muro. Accanto a lei dormiva un piccolo cane di pelo chiaro. Davanti a lei una scatola aspettava le offerte. 5

«Lei però, la *mandante*» dicevo io, «negherà tutto, dirà che quei due hanno esagerato, dovevano solo darle una lezione, alla ragazza.»

«Sì, per forza» diceva Gilardo, «sarà questa la sua difesa. E quei due già si accusano a vicenda, 10 l'ha strangolata lui! No, è stato lui, io le ho solo dato la *botta* in testa! Nessuno dei due può ammettere di aver ricevuto l'ordine di *farla fuori*. Un incidente, dovevano solo darle una bella lezione. Questa sarà la linea.» 15

«Ma l'idea di rivestirla da puttana?»

«Quella sarà stata di lei, della mandante. Un bello scherzo.»

«Ha organizzato tutto nei minimi particolari.»

«Tu dici che l'ha fatta uccidere lei, che ha dato 20 l'ordine lei?»

«Sì, è stata lei, è lei l'assassina.»

«Ma cosa c'entrava quella povera diavola, che bisogno aveva di farla uccidere?» diceva Gilardo.

«Ma niente, era per vendicarsi del banchiere, che 25 l'avrà offesa in qualche modo. Il *movente* ce lo rac-

mendicante, chi chiede soldi o altra elemosina
mandante, qui: chi ordina un omicidio
botta, colpo
fare fuori, uccidere
movente, causa, motivo di un'azione

conterà lui, se non decide di fare il gentiluomo torinese.»

«Non è per gelosia, comunque?»

«Ma no. Cioè, sì, anche, ma in un senso più...molto più...»

Un delitto *passionale*, questo sperava Gilardo. Ma quale passione? Amore-odio. Ma era odio puro, odio-odio.

«Ma se è stata lei a trovargli la ragazza, a mettergliela in casa?»

«Appunto. L'ha cercata e l'ha trovata. Una puttana, voleva. E il Semeraro gliel'ha messa a disposizione. Bellissima. Dolcissima. La moglie ideale. E lui si dev'essere innamorato davvero, l'ha sposata davvero. A quel punto lei ha organizzato lo scandalo al castello: ragazzi, il banchiere ha sposato una puttana! Tutti lo dovevano sapere e l'hanno saputo, infatti.»

«E non le bastava?»

No che non le bastava. Si aspettava il divorzio immediato, fuori di casa mia sporca puttana, tornatene in Romania. E invece era amore-amore. Lui se l'era tenuta, la sua dolce Milena. E lei allora...

«Dev'essere come impazzita di rabbia, avrà chiamato Semeraro e gli avrà detto, guardi, mi tolga dai piedi quella lì, la faccia sparire...»

«Insomma, un ordine» diceva Gilardo.«Abbastanza ben pagato, chissà se i soldi li ha presi dalla banca del banchiere?»

E così si erano presentati: davanti Semeraro, insospettabile, col suo mazzolino di papaveri, e dietro

passionale, per motivi di passione

l'altro, lo strangolatore. L'hanno caricata in macchina e via chissà dove, aspettando il buio. E poi il fosso.

Siamo passati davanti alla vecchia e ho lasciato cadere due euro nella scatola dov'erano pochi *spiccioli*. In fondo alla scatola c'era tra i centesimi un'immaginetta: un santo con accanto un *porcello*. L'ho tirata su: sant'Antonio protettore degli animali da cortile.

La barista

I *riscontri*, i riscontri, ma che *barba* questi tuoi riscontri! Mica li devi fare tu, mica li deve fare il carabiniere scelto Pocopane Attilio, che se non toglie immediatamente la mano da lì sotto, no, ho detto nooo, chiaro? Che con te sono già tre ore buone che mi riscontri e sono anche stanca, va bene?

Dunque lui, questo albanese, questo famoso Janko, l'avete *beccato* vicino a Como in casa di un'amica, che adesso è dentro anche lei. E gli avete trovato in tasca i duecentomila euro, che glieli aveva dati questo Semeraro, dice lui. E state *torchiando* anche il Semeraro e il suo alibi di Biella. Allora: niente alibi per Semeraro, che a Biella c'è andato davvero e si è fatto vedere al bar, dal benzinaio ma per pochi minuti, e poi di corsa a Torino. E quel

spicciolo, moneta di poco valore
porcello, piccolo maiale
riscontro, controllo
barba, qui: noia
beccare, prendere
torchiare, costringere a rispondere

giorno non c'era il mercato all'aperto e quindi il vestito di Armani che lui ha regalato alla sua *troietta* non l'ha comprato lì, era il vestito della morta.

Bravo, cerca di farmi la *ricostruzione* seriamente. Insomma Semeraro incontra a un autogrill l'assassino e si presenta alla villa col mazzetto di papaveri e lei apre, e dietro Semeraro s'infila l'albanese che le dà una botta in testa (dice Semeraro, ma l'altro dice che la botta gliel'ha data Semeraro) e poi la spogliano e la rivestono da puttana e la caricano sull'auto e lì l'assassino la strangola, è uno specialista, ma Semeraro dice che non doveva, ha esagerato, dovevano solo darle una lezione e lasciarla in un fosso mezza morta. Questi erano i patti con la gran dama. Una piccola vendetta, invece lui l'ha uccisa, ha perso la testa perché lei si *ribellava* e alla fine se la sono trovata lì *stecchita* e a quel punto giù nel fosso.

L'assassino dalla sua amica a Como e Semeraro tranquillo al Centro di Vercelli e la gran dama nella *merda* anche lei, *complicità* in omicidio e quant'altro. Vent'anni non glieli leva nessuno. Magari l'*ergastolo*. Per me comunque è lei la *strega*, la colpevole vera. Per gelosia. Una matta, io dico.

troietta, piccola puttana
ricostruzione, il ricostruire i fatti per capire un delitto
ribellarsi, fare resistenza
stecchito, qui: morto
merda, qui: guai
complicità, partecipazione a un delitto
ergastolo, prigione per tutta la vita

strega

La bidella

Leggi un po' di nuovo..."Rinvenuta, come si ricorderà, da un *casuale* testimone..."? Ma siamo matti? Il loro casuale testimone è la sottoscritta Covino Angela, bidella, recatasi di buon mattino in detto prato allo scopo di raccogliere... 5

Sicché allora, la povera morta, gli avrebbe detto la verità al banchiere, prima di sposarlo, e lui per premio l'avrebbe sposata lo stesso con quella favolosa festa al castello. E sul più bello sarebbe arrivato questo Janko, questo assassino che era già prima il suo 10 padrone. Ma per fortuna c'è lì questo Semeraro, un amico della giovane...? Perché? Due ore prima, una testimone, una volontaria di nome L.B., del Centro di Vercelli, avrebbe visto i due *confabulare* in modo sospetto nei pressi dell'Abbazia di Vezzolano...E così 15 i due avrebbero fatto tutta la scena per *sputtanare* la puttana e mettere in piazza la faccenda e *mortificare*

casuale, involontario, dovuto al caso
confabulare, parlare a bassa voce
sputtanare, mettere in cattiva luce
mortificare, fare vergognare

il banchiere, che avrebbe avuto in precedenza una relazione con quell'altra, quell'amica Beatrice, ma poi non l'aveva voluta sposare e lei allora gli fa sposare la puttana, la vendetta della gran dama che dopo la farebbe anche ammazzare, classico omicidio *su commissione*, dalla rabbia che lui s'è tenuto la ragazza, puttana o non puttana, contento lui.

Dice che ci sarebbero le prime *ammissioni*, che gli avrebbero trovato i contanti in tasca a tutti e due. Trecento e trecento?

A me questi giornalisti non mi convincono. Io non mi sento di escludere niente, quel banchiere potrebbe essere al centro di un *complotto finanziario* internazionale, magari i cinesi o i russi gli avrebbero ammazzato la moglie come avvertimento o perché lui non aveva accettato certe loro condizioni, o la figlia che voleva liberarsi della giovane matrigna, o perfino tutto quel Centro di Vercelli che sotto sotto era una centrale del traffico di schiave bianche e nere e altre cosette, e il mandante era il prete o qualcuno molto più in su, che non sapremo mai, tanto per cambiare.

Tu dici che però intanto a lui gli resta sempre la banca?

Ma se posso esprimere un pensiero mio personale di semplice donna mi limito a dire: che cosa te ne fai di una banca se hai perduto l'amore?

su commissione, per ordine di qualcuno
ammissione, l'ammettere, il confessare d'aver fatto qualcosa
complotto, intrigo organizzato a danno di altri
finanziario, economico

Domande:

1. Quali sono gli animali che compaiono nel romanzo ?
2. Quali e quante sono le nazionalità dei personaggi del romanzo ?
3. Quali e quanti sono i mestieri e le professioni che svolgono i personaggi del romanzo ?
4. Spiegate i legami di parentela espressi dai personaggi del romanzo.
5. Quali e quante sono le località geografiche citate nel romanzo ?
6. Quali sono i luoghi pubblici citati nel romanzo ?
7. Individuate le parole straniere presenti nel romanzo.
8. Quali malattie sono citate nel romanzo ?
9. Quanti bambini ci sono nel romanzo ?
10. Quali cibi sono citati nel romanzo ?
11. Cosa cade di mano alla Signora Fiorenza ?
12. Chi sono i frequentatori del bar ?
13. Quali mezzi di trasporto sono citati nel romanzo ?

2. Inserisci la parola giusta nella frase giusta senza guardare il testo del libro:

bisogno - assassini – pensavo – probabilmente – parola – sguardo – diversi - luogo

Quello che finora sappiamo, spiegavo ai miei reticenti, è che Milena è stata uccisa l'altro ieri, sabato, ... in tarda serata. Ma non nel .... dove è stata trovata. L'assassino o gli assassini l'hanno portata in quel fosso dopo il delitto.

Passavo lo .... dall'uno all'altro, il prete, la Maria Ludovica, Semeraro e ....: potrebbero essere questi tre gli assassini? Uno fuori alla guida, due che entravano nella villa. Di loro Milena si sarebbe fidata, avrebbe aperto... Non c'erano tracce di telefonate in arrivo o in partenza sul cellulare della vittima. Quindi gli .... si erano presentati di sorpresa, senza avvisarla. O era un appuntamento già combinato dal giorno prima, da .... giorni prima? Lei li stava aspettando?

La .... *"alibi"* non è stata pronunciata da nessuno, non ce n'è stato .... La donna a Milano. Il prete a Brescia a trattare l'*affitto* di un villino per un nuovo Centro. Semeraro a Biella. Potevo solo ripartire dall'ultima volta che avevano visto quel Janko.

3. Qual è la forma dell'infinito dei seguenti verbi:

diceva ______________________________

disilluso ______________________________

conosciuto ______________________________

sarebbero ______________________________

rimasto ______________________________

visto ______________________________

successo ______________________________

4. Trova gli errori di scrittura; dopo aver trovato gli errori, controlla nel testo al cap. 32 La Figlia:

La figlia

Alla fine, non ressistevo proprio, l'ho chiamata io sulla celulare, pronto pronto, sono io, com'è andata? Dove sei? Com'è andata, la hai parlato, dove l'hai portata, a casa tua o dove?

«No, non a casa, poteva sembrare un interrogatorio. Tutto bene, almeno nel senso che...»

No, dovvevo stare tranquilla, non era ancora sucesso niente, era tuta una cosa di ochiate e sorisi, la ragazza era intelligente, era seria, capiva benissimo la situazione. Papà le faceva dei piccoli regalini, e lei li accetava, e comunque lei non ci pensava nemeno a cedere, e piuttosto preferiva andarsene, trovarsi un altro posto, anche se Matti e Tommi erano bambini meravigliose, lei si era veramente *affezionata* e a casa nostra si trovava bene, era una familia di brave persone, aveva detto proprio così "brave persone".

«Ma te ti senti una brava persona?»

«Io no» diceva Beatrice, «ma se le faciamo quel'effetto lì, perché disilluderla?»